Sur les traces des...

VIKINGS

GALLIMARD JEUNESSE

ISBN 2-07-055558-5

Loi n° 49-956 du 16 juillet 1949 sur les publications destinées à la jeunesse.

Dépôt légal : octobre 2003 - N° d'édition : 123463
Photogravure : Mirascan
Imprimé par EuroGrafica

raconté par Yves Cohat et Estelle Girard
illustré par Philippe Munch

GALLIMARD JEUNESSE

Sur les traces des...

VIKINGS

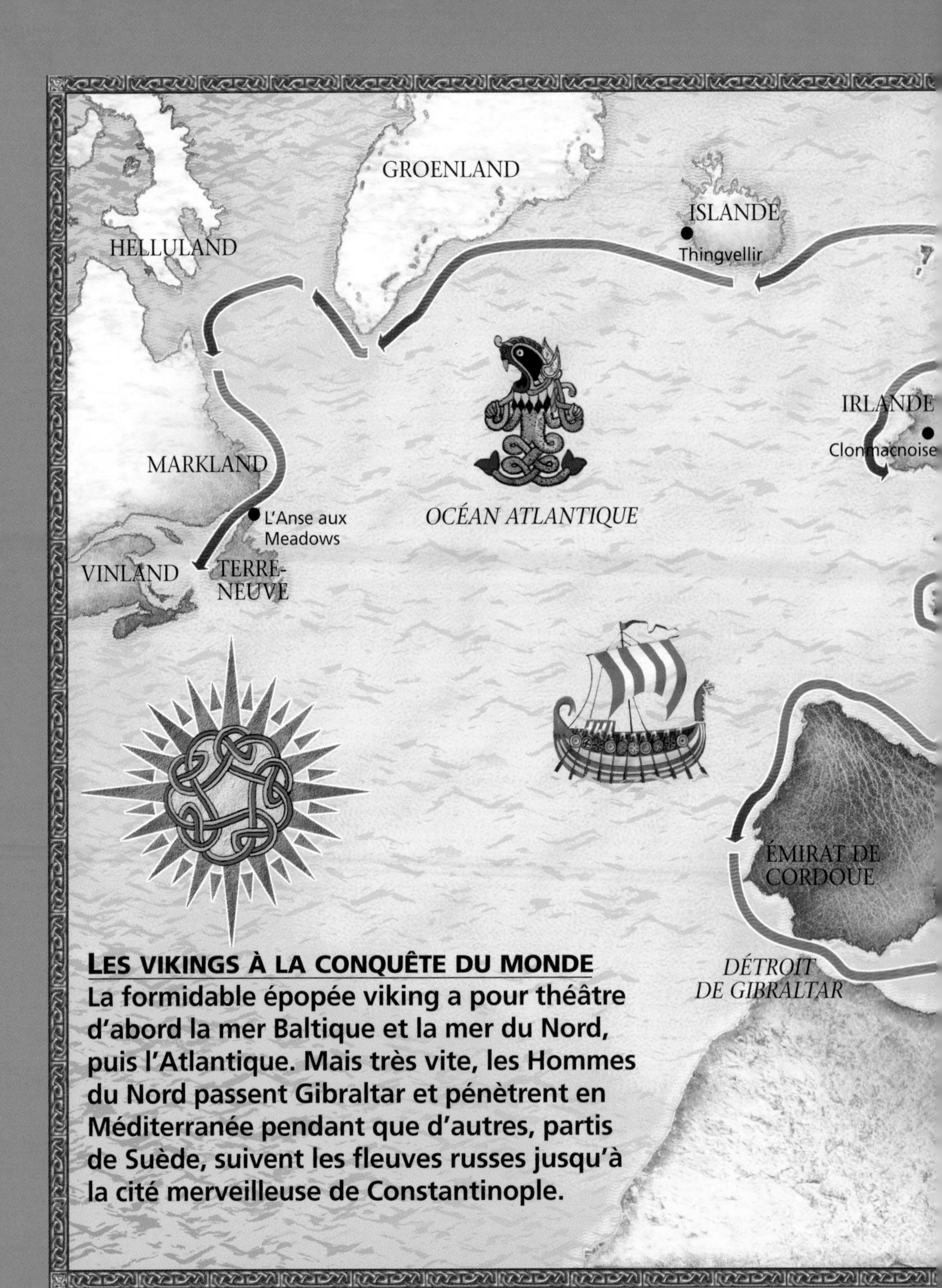

LES VIKINGS À LA CONQUÊTE DU MONDE

La formidable épopée viking a pour théâtre d'abord la mer Baltique et la mer du Nord, puis l'Atlantique. Mais très vite, les Hommes du Nord passent Gibraltar et pénètrent en Méditerranée pendant que d'autres, partis de Suède, suivent les fleuves russes jusqu'à la cité merveilleuse de Constantinople.

NORVÈGE
Golfe de Botnie
FINLANDE
LAC LADOGA
SUÈDE
Novgorod
ILES BRITANNIQUES
Lindisfarne
RUSSIE
DANEMARK
GOTLAND
MER DU NORD
MER BALTIQUE
Divina
Volga
Hedeby
Dniepr
ROYAUME DES FRANCS DE L'EST
Rouen
Paris
Rhin
Kiev
Don
NORMANDIE
ROYAUME DES FRANCS DE L'OUEST
Danube
MER NOIRE
ITALIE
Constantinople
EMPIRE BYZANTIN
SICILE
MER MÉDITERRANÉE

L'attaque

Dans les premières lueurs de l'aurore, trois navires **appareillent** en silence. Ils quittent la **crique** où ils se sont cachés pendant deux jours. À peine leur voile rectangulaire hissée, ils longent la côte à vive allure, poussés par une brise favorable.

Appareiller : quitter le port, le mouillage.
Crique : partie du rivage où la mer s'enfonce dans la terre et forme un petit abri.
***Knerri* :** véritable nom des bateaux vikings. Au singulier, *knörr*.

À l'avant du vaisseau, sur la proue, une tête de dragon sculptée se dresse fièrement vers le ciel. Une rangée de boucliers ronds et colorés est suspendue jusqu'à l'arrière de la coque, où la poupe se relève, symétrique à la proue. Ces majestueuses embarcations sont des ***knerri***, des bateaux vikings.

À bord de chacun d'eux, une trentaine d'hommes s'affairent. Fouillant dans des coffres, ils en sortent les effets personnels et les armes qu'ils y tiennent ordinairement rangés pour les protéger de l'humidité et de la rouille. Certains affûtent avec une pierre le tranchant ébréché de leur épée, pendant que d'autres vérifient la tension de la corde de leur arc. Si quelques-uns revêtent une **cotte de mailles**, la plupart enfilent d'épaisses vestes de cuir rembourrées. En plus du javelot que tous ont soigneusement préparé, ils sont armés d'une hache passée dans la ceinture et coiffés d'un casque conique qui leur protège le nez et les joues.

À l'arrière du bateau, deux hommes se tiennent auprès du barreur, sur une petite estrade. L'un deux, richement vêtu, est grand et **efflanqué** ; il est aussi le plus âgé. C'est un ***jarl***, un chef d'expédition. Son regard ne quitte pas la côte, où par-delà la tête du dragon, il semble chercher un lieu précis. L'autre homme est petit et grassouillet.

– Olof, lui dit le chef, tu es le meilleur et le plus avisé ***leidhsögumadhr*** que j'aie jamais eu à mon service, mais aujourd'hui je commence à douter de tes connaissances. Dans la petite **baie** où nous nous cachions, nous n'avons pas rencontré âme qui vive, sinon quelques moutons. Ce matin, j'ai beau scruter la terre, pas l'ombre d'un village sur cette côte ! Je ne vois que falaises et lande sauvage.

Cotte de mailles : tunique en fils d'acier.
Efflanqué : très maigre.
Jarl **:** aristocrate, ou chef de clan viking.
Leidhsögumadhr **:** « l'homme qui dit le chemin ».
Baie : partie de la côte où la mer entre dans la terre.
Strandhögg **:** mot norrois (langue des Vikings) qui signifie littéralement « coup sur le rivage », c'est-à-dire un coup de main.

– Patience, Holki ! Après une si longue route et tant d'efforts consentis par toi-même et tes hommes, je te promets le plus audacieux ***strandhögg*** qu'aucun chef viking n'a jamais rêvé de réussir.

Olof observe le littoral. Soudain, sa main désigne des récifs sur lesquels la mer blanchit.

– Regarde ! C'est ici ! C'est sur ces rochers, là, juste devant nous, que mon bateau s'est fracassé, il y a déjà quatre hivers. Avec mes compagnons survivants, nous avons gagné la côte et marché le long du rivage afin de chercher un endroit où d'autres knerri pourraient s'approcher pour nous recueillir. En chemin, j'ai fait prisonnier un jeune homme. Tu le connais ! C'est ce garçon qui a les cheveux rouges comme la rouille qui mange le fer de nos haches. Depuis qu'il travaille à la ferme, il a appris notre langue et m'a longuement conté les richesses de son pays. Il a dit aussi de venir pendant les jours de **foire**. Les gens seront au village, nous approcherons sans risque.

Foire : grand marché qui a lieu à date fixe.

Pendant qu'ils discutent, l'homme de barre les interrompt soudain. Il leur fait signe de regarder droit devant : dans la brume matinale, une large baie se dessine et un hameau de pêcheurs apparaît. Plus haut, sur la crête, se détachent les toits des chaumières d'un village et un clocher carré.

– Holki ! Je te l'avais bien dit, nous y serons dans moins d'une heure ! Et puis regarde, tous sont à la fête, ce village est à nous ! Si quelque pêcheur est resté sur la plage, aveuglé par ce beau soleil, il ne se rendra compte de notre présence que quand nous serons déjà sur lui !

D'une voix forte, Holki donne l'ordre d'**amener** la lourde voile et de la **ferler**. Les hommes abaissent le mât, enlèvent les **bouchons** qui obstruent les trous de nage, dans lesquels ils glissent les avirons, et commencent à ramer. Le knörr semble bondir sur les vagues. Obliquant vers la droite, il met le cap sur le petit havre. Les deux autres navires entrent dans la course. Chaque équipage veut arriver le premier. Dans le silence du petit jour, au village, nul ne se doute du danger.

Les **quilles** raclent déjà le sable. Trois têtes de

Amener : faire descendre.
Ferler : plier le long de la vergue (pièce de bois qui soutient la voile).
Bouchons : pièces de bois bouchant les ouvertures de la coque empêchant l'eau de pénétrer.
Quille : partie du bateau située sous la coque.

dragon s'immobilisent côte à côte sur la plage. À peine les embarcations échouées, les marins rentrent les avirons, se saisissent de leurs armes et sautent à terre. Seuls quelques guerriers âgés ou blessés restent près des bateaux pour les surveiller. Les autres courent sur le sentier qui mène au village en hurlant pour se donner du courage et terroriser leurs adversaires.

Avertis par ces cris d'un ennemi qui s'approche, des villageois donnent l'alarme. Derrière Olof, sa troupe s'élance entre les maisons. Pour l'affronter, deux hommes accourent, brandissant l'un une **cognée**, l'autre

Cognée : grosse hache utilisée pour abattre les arbres.

un **fléau**. Sans attendre, les guerriers les abattent et progressent vers l'église.

Sur la place, l'heure n'est plus au marché. Les gens s'enfuient, abandonnant leur **étal**. Trop tard : les assaillants sont partout ! Rapidement, quelques villageois saisissent leurs arcs et blessent des Vikings, surpris par cette résistance. Rögnvaldr, le fils cadet d'Olof, est touché. Il s'effondre, la jambe percée par une flèche. Holki commande à ses hommes de s'aligner pour former un mur de boucliers.

Fléau : outil agricole fait de deux bâtons liés bout à bout pour battre le grain.
Étal : table où l'on expose les marchandises.

C'est le moment décisif du corps à corps. La mêlée est acharnée. Les haches répondent aux épées, les javelots aux flèches, la lutte est sans merci. Les Vikings, en furie, mettent la population en déroute. Leur victoire tout juste assurée, ils font irruption dans les maisons pour y trouver de quoi étancher leur soif et débusquer les femmes qui s'y sont réfugiées.

Holki est blessé à la tête. Ses hommes le relèvent et courent avec lui vers l'église. La porte cède vite sous les coups de hache. À l'intérieur, une dizaine de religieux sont agenouillés au pied de l'**autel**. Il

Autel : table où l'on célèbre la messe.

s'agit d'un prêtre et de moines venus d'une communauté voisine à l'occasion de la foire. Les Vikings en tuent plusieurs et **humilient** les autres en les chassant de l'édifice saint entièrement nus.

Dehors, le combat a cessé. Les Vikings fouillent le village et rassemblent au centre de la place tout ce qui leur semble précieux : les objets sacrés trouvés dans l'église, des bijoux, des étoffes et de la vaisselle provenant des maisons, des pièces de monnaie et des armes.

Le butin est considérable ! La plus grande partie du trésor est chargée sur un chariot attelé à des bœufs. Le reste sera convoyé jusqu'à la plage par les prisonniers qui, pour l'instant, sont assis, silencieux et terrorisés, sous le porche de l'église.

Humilier : rabaisser, ridiculiser.
Faire ripaille : faire un festin.

Réjouis par la réussite de leur audacieux coup de main, les Vikings **font ripaille**. Tous les animaux domestiques sont mis à mort, à l'exception de quelques cochons et volailles qu'ils emporteront. Chacun découpe lui-même sur les carcasses le morceau qu'il préfère avant d'aller le faire rôtir. Le vin et la bière coulent à flots. Entre les guerriers excités, le ton monte vite. Ils se querellent à propos des femmes ou des prisonniers choisis comme esclaves. Olof intervient et prévient Holki :

– Ta réussite est grande, Holki, et la fête est belle ! Mais ne tardons pas à regagner la mer. Certains villageois ont sans doute pu aller chercher du secours et nous sommes trop peu nombreux pour résister à une armée. Ne forçons pas la chance, rentrons, un vent favorable nous portera vite jusqu'à chez nous.

Le jarl, que la victoire et la bière ont mis de bonne humeur, se laisse convaincre par les judicieux conseils de son leidhsögumadhr. Il hurle à ses hommes de rejoindre les knerri et ajoute :

– Foudre d'**Odin** ! Brûlez et détruisez tout, afin que l'âcre fumée de l'incendie proclame aux habitants de ce pays comme est grande la fureur des hommes du Nord !

Odin : dieu de la victoire au combat.

À L'EFFROI produit par les premiers raids vikings s'ajoute le sacrilège. Leurs cibles privilégiées sont les lieux les plus vénérés de l'Europe chrétienne : les monastères fondés par les évangélisateurs de l'Angleterre et de l'Irlande.

Reliquaire chrétien volé dans un monastère sur lequel un Viking grava son nom : Rannveig

Le fléau de Dieu

Quand il apprend que le 8 juin 793, les Vikings ont pillé le monastère construit sur l'île anglaise de **Lindisfarne**, Alcuin, un conseiller de Charlemagne, fait part de l'épouvante que lui inspire cette profanation. Il pense avec raison que cette attaque n'est qu'un prélude à d'autres horreurs, le début d'une période de malheurs et de calamités.

Le butin

Les premiers raids ne durent que quelques heures. Aussi les Vikings ne font-ils main basse que sur ce qu'ils peuvent charger dans leurs bateaux : bijoux, armes, quelques esclaves, et surtout les précieux objets de culte en or et en argent qui composent les trésors des monastères.

Casque retrouvé en Suède, à Vendel (VIIIe siècle)

L'assaut

Le succès des premiers raids vikings repose sur l'effet de surprise. Ce n'est qu'après la mort de Louis le Pieux, une fois l'Empire franc affaibli, que les Danois se lancent avec assurance à la conquête de l'Occident.

Monastère de Clonmacnoise, sur la rivière Shannon, en Irlande

“Les Vikings fouillent le village et rassemblent au centre de la place tout ce qui leur semble précieux.”

Clocher défensif
À partir du Xe siècle, l'architecture romane des églises irlandaises évolue à cause des raids vikings. Les clochers deviennent plus hauts et plus solides afin de pouvoir servir de tour de guet ou de refuge en cas d'attaque.

La mise à sac
Les monastères sont pour les Vikings une cible idéale. Ils sont mal défendus et regorgent de richesses. Aussi, il n'est pas rare qu'ils soient pillés plusieurs années de suite comme celui de **Clonmacnoise**, en Irlande, qui le fut à huit reprises.

La terreur
Les Vikings utilisent admirablement la guerre psychologique pour terrifier les populations auxquelles ils s'attaquent. Peu nombreux, mais extrêmement mobiles, ils agissent toujours avec ruse pour surprendre leurs adversaires et provoquent la panique en allumant des incendies à chaque fois que cela est possible.

Pierre tombale du prieuré de Lindisfarne

Tête de guerrier grimaçant sculptée sur les montants d'un chariot

En famille

Bien emmitouflées sous leurs bonnets de laine, Gudrún et sa fille Gyda dérapent sur le sentier encore glacé. Elles quittent la maison pour aller à la forge d'Egil chercher les fermoirs de robe que Gudrún a commandés et déposer un gros chaudron de fer à réparer. La jeune fille, timide, entre dans l'atelier. Le métal **incandescent** coule dans le **creuset** des moules en argile. S'approchant du forgeron, Gyda s'exclame :

– Quel éblouissement de voir se transformer le métal en de jolies **fibules** brillantes ornées des motifs les plus fins !

Egil polit les fibules sorties du moule alors que d'autres refroidissent encore. Il n'est pas plus habile homme que ce forgeron : il fabrique les clefs des coffres, les clous et les **rivets** pour réparer les bateaux ainsi que les plus beaux bijoux !

Incandescent : rendu rouge par une très forte chaleur.
Creuset : récipient dans lequel on fait fondre les métaux.
Fibule : broche qui maintient la robe-chasuble portée par les femmes.
Rivet : élément d'assemblage.

Snorri, le petit frère de Gyda, rêve de devenir forgeron. Il court à l'atelier d'Egil dès que sa mère le lui permet. Mais en ce moment, ce n'est pas la chaleur de l'atelier qui réchauffe le pauvre Snorri. De gros flocons de neige chatouillent ses joues, il se hâte de rejoindre la maison. Gudrún et Gyda doivent être déjà rentrées de la forge. Sa mère l'a envoyé **quérir** des bûches qui nourriront le feu jusqu'au matin. Le poids du bois commence à se faire sentir sur ses bras frêles. L'herbe est couverte de gelée blanche et les flaques d'eau crissent sous ses pas.

Du haut de ses quinze hivers, le garçon n'est pas si fort, et Gudrún ne manque pas de lui confier des tâches difficiles. Snorri sait que ses efforts seront récompensés : dans le foyer, les flammes cuiront le bon pain, elles sécheront le poisson et la soupe de pois sera bientôt fumante. Il salive déjà, et son grand appétit l'invite à porter son fardeau bien plus vite ! S'il rapporte suffisamment de bois avant la nuit, Snorri sera tranquille pour quelques jours ; demain, il pourra s'amuser, il chaussera ses patins de bois et filera sur la glace comme un knörr bondit sur les vagues.

Quérir : aller chercher.
Meule : grosse pierre qui sert à moudre.
Épeautre : variété de blé.
Jatte : récipient creux et arrondi.

À la maison, confortablement assise sur une banquette recouverte de fourrure, Gudrún attend son fils. Sur sa **meule** de pierre, elle écrase des grains d'**épeautre**. Puis elle verse la farine dans une **jatte** en bois, ajoute de l'eau et mélange vigoureusement. Elle prépare une pâte qu'elle partage en petites boules. De jolis pains ronds dorent sur une pierre chauffée au bord du foyer. Snorri rentre enfin.

La douce odeur du pain qui cuit envahit la grande pièce. Le garçon demande à sa mère :

– Que puis-je faire pour t'aider ? Je suis tellement affamé que je pourrais avaler un poulet et un lapin ! Je vais suspendre la lourde marmite au-dessus des flammes pour que la soupe cuise vite !

– Snorri ! Va plutôt me chercher un seau d'eau !

Gudrún découpe des morceaux de porc et assaisonne son ragoût.

– Sois patient, mon fils. Tu vas te régaler, regarde donc ce que je t'ai préparé.

Elle a réservé une surprise à son fils. Pendant qu'il chargeait de lourdes bûches sur ses bras dans le froid hivernal, elle a cuisiné des desserts au miel. Snorri ne tient plus, glisse deux délicieuses pâtisseries dans son écuelle de bois et les engloutit.

– Appelle ta sœur, qu'elle vienne m'aider à servir le repas.

La jolie Gyda achève de plier les étoffes de laine que Gudrún a tissées et assemblées à l'aide d'une aiguille de fer et d'un fil de lin. Gudrún veille toujours à ce que son mari et ses enfants soient très bien habillés. Elle a d'abord appris à sa fille à confectionner les petites tuniques de laine au col brodé que porte encore Snorri. Maintenant que Gyda est devenue très habile à la broderie, elle coud de longues robes-chemises et des **chasubles** pour toute la famille.

Chasuble : robe sans manche sous laquelle on peut porter une chemise.

Gyda est tellement à son affaire qu'elle en a oublié l'heure du souper !

– Venez dîner mes enfants, votre père ne tardera pas.

Thorkell, le père, se fait attendre. Au cœur de l'hiver, la nuit tombe vite et il devrait déjà être là. Il est allé trouver Börkr, un voisin, pour l'aider à **panser** la blessure à l'**échine** de l'un de ses chevaux. La bête s'est blessée en glissant du talus à cause du gel. Gyda verse la bière dans une cruche. Son père aura grand plaisir à en boire quelques gorgées à son retour ! Snorri, **insatiable**, mange encore de la viande et de la soupe. Gyda se dépêche d'avaler les desserts, avant que son goulu de frère ne se jette dessus ! Soudain les pas lourds de Thorkell se font entendre. Il tape ses chaussures contre la porte pour en faire tomber la neige et entre dans la maison. Son visage est rougi par les **bourrasques** et le froid.

– Voilà qu'il en est allé autrement que ce que je pensais ! déclare Thorkell. Nous n'avons pas eu de chance. Assurément l'animal était très faible, son état ne s'est pas amélioré, la blessure était trop grande. Je lui ai assené un coup de couteau pour l'aider à mourir. Mais je vous vois là occupés à de bien belles affaires ! Ma fille, sers moi grande quantité de bière, c'est que le froid assoiffe !

Après un bon moment partagé autour du feu, Snorri reprend avec son père la partie de ***hnettafl***, qu'ils ont

Panser : soigner en faisant un pansement.
Échine : partie du dos comprise entre le cou et la croupe.
Insatiable : pas encore rassasié.
Bourrasque : coup de vent violent.
Hnettafl **:** sorte de jeu de dames.

commencée la veille. Snorri est souvent le plus fort. Il a avancé assez de pions pour protéger le roi de l'attaque des pions adverses et Thorkell a bien du mal à le contrer. Pour tenter de gagner en détournant son attention du jeu, le père récite à son fils l'histoire de la famille. Il lui raconte encore comment son père à lui, qui possédait de bonnes terres, devint un grand chef avant d'attraper la maladie qui le mena à la mort. Snorri n'écoute que d'une oreille distraite, il connaît ce récit par cœur et se concentre sur le jeu. Il tient la partie et ne la lâchera pas !

Le jeu dure et la nuit avance, de magnifiques braises chauffent la pièce. Gyda et Gudrún sont chacune allongées sur leur couche. Blotties sous les couvertures de fourrure, elles dorment à poings fermés. Snorri est fier de mener le jeu, et sa grande fatigue se fait oublier. Les deux hommes ne sont plus éclairés que par la longue lampe de fer plantée dans le sol en terre battue. L'huile brûle vite et la petite flamme vacille.

– Il est grand temps de dormir mon fils, le jour sera long et nous avons à faire. Nous devrons fabriquer de nouvelles pelles à **tourbe**, et réparer la charrette. Nous creuserons aussi la terre, pour y placer la viande que ta mère a découpée. Le froid la gardera jusqu'au printemps. Allons, va retrouver des forces. Je viendrai bien assez tôt te réveiller.

Tourbe : matière formée par la décomposition de plantes qui pourrissent à l'abri de l'air. Elle est utilisée comme combustible.

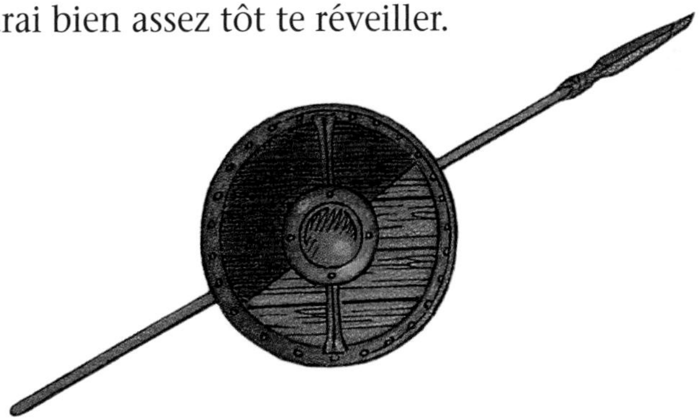

LA FAMILLE est le noyau autour duquel s'organise la société. Placée sous l'autorité d'un chef, elle réunit plusieurs générations d'hommes et de femmes libres qui vivent sous le même toit en compagnie d'esclaves, des serfs de naissance ou des prisonniers de guerre.

Maîtresse femme
Pendant l'absence des hommes, partis razzier ou commercer, les femmes exercent seules l'autorité sur la maisonnée.

Épouse et concubines
L'homme traite avec respect son épouse, attitude peu courante à l'époque. S'il se conduit mal ou s'il la brutalise, la femme a le droit de divorcer. Néanmoins il peut – surtout s'il est riche – avoir plusieurs concubines qu'il choisit parmi les esclaves.

Maison collective
Elle comprend une vaste pièce avec, en son centre, un foyer en pierre pour le chauffage et la cuisson. C'est là que toute la famille (maîtres, serviteurs, esclaves) se retrouve pour manger et, la nuit venue, s'installe pour dormir, couchée sur des banquettes disposées le long des murs.

La vaisselle
Tasses, bols et louches sont souvent taillés dans du bois. Le chaudron dans lequel on cuit le gruau, qui constitue la base de l'alimentation, est en pierre ou en fer martelé.

Le choix du nom
C'est le père qui choisit le nom du nouveau-né. Par cet acte, il le reconnaît comme le sien et lui donne une place dans le clan.

« La douce odeur du pain qui cuit envahit la grande pièce. »

Reconstitution d'une maison à Trelleborg au Danemark

Symbole d'autorité
La femme légitime est la responsable de toutes les activités domestiques du domaine. Elle porte, suspendue à sa ceinture, le symbole de sa charge : le trousseau de clefs des coffres de la maison.

Filage et tissage
Dès que les travaux des champs leur en laissent le loisir, la maîtresse de maison et ses servantes s'installent devant un métier à tisser vertical dressé contre un mur et travaillent la laine ou le lin. Les étoffes qu'elles fabriquent servent pour l'habillement et pour le décor de la maison. Certaines sont même vendues sur les foires et marchés.

Tablette pour lisser la laine en os de baleine

Le plus savant des charpentiers

Voilà plus d'une heure que Geir, caché dans un bosquet, observe les deux hommes qui, à genoux de part et d'autre d'un grand chêne, attaquent son tronc à grands coups de hache. C'est pendant qu'il était occupé à rassembler le bétail que le bruit du fer frappant le bois en cadence l'a attiré à cet endroit de la forêt. Ne reconnaissant pas les deux bûcherons, il a préféré se dissimuler et les épier avant d'aller prévenir les gens de son clan.

Jamais il n'a vu d'homme mettre autant d'ardeur pour abattre un arbre. Ne s'accordant que de rares pauses pour se désaltérer et souffler un peu, les deux inconnus ne cessent de frapper la base du chêne, chacun à son tour et avec une précision diabolique. Ils sont beaucoup plus habiles dans le maniement de la cognée que son frère Sven, qui sort pourtant toujours vainqueur des joutes qui opposent entre eux les jeunes fermiers du **fjord**.

L'entaille en forme de sifflet, au pied de l'arbre, dépasse maintenant largement la moitié du diamètre du tronc. Le géant ne va pas tarder à s'écrouler. Geir ne veut rien manquer de ce spectacle. Rampant parmi les feuilles mortes, il quitte son abri et se dirige vers

Fjord : bras de mer qui s'enfonce profondément à l'intérieur des terres.

un amas rocheux qui fera un excellent observatoire. Mais, avant qu'il ne l'atteigne, une main puissante lui saisit la tignasse, le soulève de terre et le contraint à se tenir debout.

– Oh, compagnons ! regardez ce que j'ai déniché. Qu'est-ce donc ? Sans doute un bébé **troll** qui s'est échappé de sa grotte !

Gigotant en tous sens, Geir parvient à se libérer et à faire face à celui qui l'a surpris et se moque de lui. C'est un homme **dodu** mais musclé, à la barbe striée de gris. Il porte des anneaux d'or aux oreilles et un lourd collier torsadé en argent autour du cou. Revêtu d'un magnifique manteau bleu aux bords brodés, il tient à la main une lourde hache.

– Alors, nous diras-tu ton nom, jeune troll ? demande-t-il en s'esclaffant.

Intimidé par le personnage, Geir doit faire appel à tout son courage pour lui répondre.

– Je suis Geir, fils d'Arni de la ferme du Grand Torrent. Je ne sais qui tu es, étranger, mais tu te tiens ici sur les terres du noble Erlend qui, dès son retour des contrées de l'Orient, saura te faire payer le prix du **saccage** de ses bois.

Troll : petit être mythique des forêts scandinaves.
Dodu : gras, potelé.
Saccage : pillage.

Malgré toute la conviction qu'il a mise dans son discours, ses paroles ne semblent pas impressionner son interlocuteur qui, comme s'il n'existait pas, lui tourne le dos, ordonne aux deux bûcherons de reprendre immédiatement leur travail et s'éloigne. L'individu parcourt quelques mètres, s'arrête, se retourne et fixe de ses yeux perçants l'adolescent qui, pétrifié, ne fait pas un mouvement.

– Connais-tu ces bois, jeune Geir, puisque tel est ton nom ?

– J'y suis né et je les parcours depuis que mes deux jambes me portent ! lui réplique le garçon en se redressant pour se donner de l'importance.

– Je m'appelle Ofeig, poursuit l'homme en se lissant la barbe. Voilà une saison, Erlend et son ami Thorleif sont venus me visiter dans ma ferme du **Skagerak**. Ils m'ont demandé de leur construire un nouveau navire pour remplacer leur vieux knörr à bout de souffle. Nous nous sommes entendus sur un prix et je me suis mis au travail. L'hiver dernier, j'ai taillé et façonné deux **étraves** avant de les enfouir dans une **tourbière**. Cette année, quand j'ai vu les feuilles des arbres commencer à jaunir, j'ai pris congé de mon épouse et de mes enfants. J'ai chargé les deux étraves sur mon bateau, réuni mes compagnons et pris la mer pour rejoindre le domaine d'Erlend.

– Tu es donc le grand Ofeig, le plus fameux des **forgeurs d'étraves** du royaume de Suède ; celui qui a construit le ***langskip*** du roi Ingvarr, murmure Geir, tant cette nouvelle le stupéfie.

Skagerak : région côtière à l'ouest de la Suède composée d'îlots.
Étraves : pièces qui forment l'avant et l'arrière (identiques) d'un bateau viking.
Tourbière : endroit humide constitué de végétaux en décomposition. Le bois qui y est conservé durcit et ne se fend pas.
Forgeur d'étraves : nom donné par les Vikings au maître charpentier.
***Langskip* :** littéralement « long bateau », navire de guerre long et étroit.

– Je suis cet étonnant personnage, répond Ofeig avec un air malicieux. Mon savoir-faire est sans doute immense, mais j'ai pourtant besoin de ton aide. Accepterais-tu de collaborer avec moi ?

Le garçon n'en croit pas ses oreilles et acquiesce d'un hochement de tête.

Fût : tronc.
Fil : direction des fibres du bois.
Nœud : endroit du tronc d'où part une branche. Les fibres du bois y prennent une orientation nouvelle.

– Je vais tailler la quille du bateau dans ce grand chêne. Mais, il me faut encore trouver des dizaines d'arbres avec un **fût** élancé, un **fil** droit, et dépourvus de tout **nœud** disgracieux pour débiter et façonner de belles et longues planches.

Peux-tu me dire où, dans cette forêt, je dénicherai ces merveilles ?

Pendant les semaines qui suivent et jusqu'à ce que tombent les premiers flocons de neige, ils sillonnent la région. La plupart du temps, les arbres que désigne Geir ne conviennent pas au maître charpentier. Il trouve leur forme inadéquate ou leur bois d'une qualité insuffisante. Ce n'est que la veille des grands banquets qui marquent le début des nuits d'hiver que les vingt-deux chênes, nécessaires pour construire le knörr, gisent enfin à terre. Une fois débarrassé de ses branches, le tronc est attelé à deux chevaux qui le tirent jusqu'à la **grève** choisie par Ofeig pour installer son chantier.

La chance veut que cette année, l'hiver est un des moins rigoureux qu'a connus le golfe de **Botnie** depuis longtemps. Jamais le **blizzard** ne parvient à interrompre le travail pendant plus d'une semaine. Aussi la construction du navire avance-t-elle vite.

Sous la direction toujours vigilante d'Ofeig, les ouvriers commencent par débiter les troncs. Suivant l'orientation des fibres et la qualité du bois, certains sont fendus en deux parties, d'autres sont divisés en une multitude de planches à l'aide de coins de fer enfoncés à grands coups de marteau. Après quelques jours seulement, le sable de la plage disparaît complètement sous les copeaux de bois que chaque coup de cognée fait voltiger. Pendant que les charpentiers les moins expérimentés dressent et aplanissent les planches, Ofeig et son vieux compagnon Snorri façonnent directement à la hache et à la **doloire** la quille du bateau dans le grand chêne abattu le jour de leur rencontre avec Geir. Ce dernier n'est d'ailleurs pas inactif. Courant de l'un à l'autre, il rend tous les services qu'on lui demande : il récolte les copeaux répandus sur le sol pour alimenter le feu de la forge ou frappe avec une masse quand il faut faire éclater le bois.

Après quelques semaines de ce travail acharné, Ofeig

Grève : plage
Botnie : extrémité nord de la mer Baltique, entre la Suède et la Finlande.
Blizzard : vent glacial.
Doloire : hache au fer en forme de T.

assemble la quille avec les pièces d'étraves puis ajoute les **bordés** du fond qui se chevauchent comme les tuiles d'un toit. Il pose ensuite les **varangues** et les **serres**, qu'il assemble avec des rivets de fer ou avec des chevilles taillées dans du saule. À chaque étape de la construction, il **jauge** de son regard affûté la qualité du travail effectué. S'il remarque une irrégularité ou un défaut de symétrie, il saisit sa hache et à petits coups précis l'efface ou le rectifie.

Bordé : planche formant le revêtement extérieur de la coque.
Varangue, serre : pièce de bois posée latéralement à l'intérieur de la coque et servant à maintenir les bordés.
Jauger : juger la valeur de quelqu'un, de quelque chose.
Fenaison : coupe et récolte des foins.

À la mi-avril, quand le chant du coucou et le tambourinage du pic épeiche sonnent le réveil de la nature après l'assoupissement hivernal, la coque du knörr est terminée. Geir, qui a pourtant suivi le chantier depuis son commencement, ne parvient pas à imaginer comment un tel bateau a pu être construit avec de simples planches taillées à coup de hache. C'est le moment qu'Ofeig et ses compagnons choisissent pour regagner leur ferme.

– Veille bien sur notre chef-d'œuvre, jeune Geir. Ce n'est encore qu'un assemblage de morceaux de bois, incapable de traverser le fjord. Mais son allure est belle. L'hiver prochain nous l'équiperons de sa tête de dragon, grâce à laquelle il affrontera sans peine tous les mauvais génies des eaux.

L'année suivante, alors que Geir et tous les habitants du fjord sont encore occupés à la **fenaison**, Ofeig est de retour. Il a promis à Erlend et à Thorleif que le navire serait achevé avant les premiers froids. Pendant qu'une partie des charpentiers se charge des travaux restant à faire sur la coque, comme le **calfatage** ou la pose du gouvernail, les autres taillent le mât dans un grand pin, confectionnent des cordages avec des fibres végétales et badigeonnent les bordés avec un mélange de goudron de pin et d'huile de baleine pour empêcher que les algues adhèrent au navire.

Après quelques semaines de ce dur labeur, Ofeig annonce la fin des travaux. Au jour dit et sous le regard d'une nombreuse assistance, ses compagnons font rouler le bateau, sur des rondins, jusqu'à la mer. Dès qu'il est dans l'eau, le knörr semble prendre vie. La tête de dragon qui orne sa proue oscille lentement au rythme du clapotis comme pour traduire son impatience de partir chevaucher les vagues de l'océan.

Geir comprend alors pourquoi les **scaldes** louent dans leurs poèmes les mérites et le savoir-faire d'Ofeig et pourquoi des personnages aussi puissants que des rois ou des princes acceptent de se prosterner devant lui. Cet homme n'est pas seulement le plus habile et le plus savant des charpentiers, c'est surtout un magicien qui sait donner une âme aux navires.

Calfatage : garnir les joints entre les bordés avec un mélange de fibres végétales, de poils d'animaux et de graisse pour rendre la coque étanche.

Scalde : poète qui chante les exploits des héros vikings.

<u>LE NAVIRE</u> est indissociable de l'épopée viking. Sans lui, jamais les anciens Scandinaves n'auraient pu commercer ou guerroyer, remonter jusqu'à la source de fleuves inconnus ou traverser les océans les plus inhospitaliers, en un mot, partir à la conquête du monde.

Les bateaux vikings
Ils sont de toutes les tailles. Certains sont de petites chaloupes qu'on utilise pour naviguer dans les fjords, mais le plus commun est le *knörr*. C'est un navire à tout faire : transporter des marchandises ou lancer un raid. Pour la guerre, il y a le *langskip*, long, étroit et rapide avec soixante-dix guerriers à bord.

Construction d'une réplique d'un bateau de guerre danois datant des environs de l'an mille

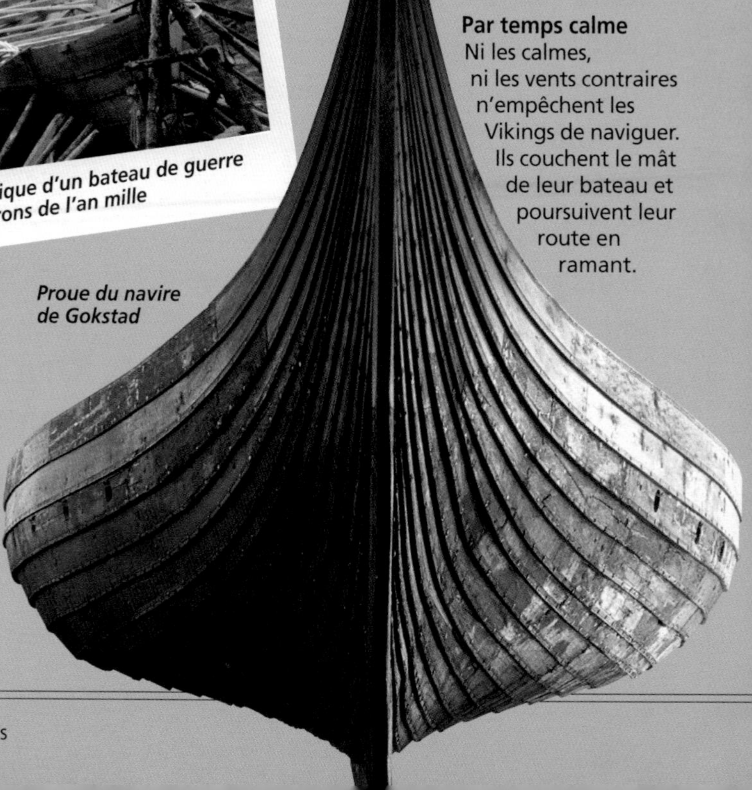

Par temps calme
Ni les calmes, ni les vents contraires n'empêchent les Vikings de naviguer. Ils couchent le mât de leur bateau et poursuivent leur route en ramant.

Proue du navire de Gokstad

Un navire parfait
Capable d'affronter le grand large, le navire viking permet aussi, grâce à son fond plat, d'approcher sans danger n'importe quel rivage et de pénétrer très loin à l'intérieur des terres en remontant le cours des fleuves, même peu profonds.

Ancre en bois
et en fer lestée
avec une pierre

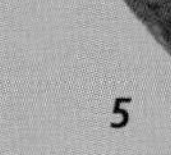

1 2 3 4 5 6 7

1. 2. fers de marteaux de forgeron
3. petit marteau d'orfèvre
4. fer de cognée pour abattre et ébrancher les arbres
5. fer de doloire, la hache à tout faire du charpentier
6. 7. pince et tenaille de forgeron

Le forgeron martèle le fer rougi sur une enclume.

Des maîtres artisans
La qualité du travail des charpentiers et des forgerons vikings tient plus à leur habileté et à leur grand savoir-faire, acquis après un long apprentissage, qu'à la qualité de leur outillage très simple et en tout point semblable à celui qu'emploient les artisans des pays voisins.

“Au jour dit, les compagnons d'Ofeig font rouler le bateau, sur des rondins, jusqu'à la mer.”

Par gros temps
Sur un bateau sans pont, il faut, disent les marins vikings, que six hommes écopent pendant que sept rament !

Le travail du fer et du bois
Si les Vikings confient la construction des bateaux à des artisans expérimentés, la plupart des objets usuels sont fabriqués à domicile. Ils façonnent eux-mêmes leurs ustensiles en bois et réparent leurs outils agricoles en fer.

À la conquête de l'Atlantique Nord

Sur les terres de Breidhafjord en Islande vit un homme nommé Eiríkr le Rouge. Le Parlement d'Islande a condamné Eiríkr au **bannissement** pour meurtre. Il doit quitter son pays, laisser sa maison. Sa femme Thiodildr accueille la nouvelle avec sagesse et résignation :

Bannissement : peine interdisant à quelqu'un de séjourner dans son pays.

– Souviens-toi de ton père Eiríkr, il est parti de Norvège dans la même situation, nous rebâtirons notre maison ailleurs, sur de meilleures terres peut-être !

– Thiodildr ! Je dois obéir à la loi et quitter cette terre, mais nous n'irons pas vivre en Norvège. Je n'y ai pour souvenir que le bannissement de mon père. Jamais je ne paierai l'impôt au roi de Norvège ! D'ailleurs, nombreux sont nos compagnons venus vivre en Islande, fuyant la Norvège tant l'impôt y est élevé.

Thiodildr l'interrompt :

– Si tu ne veux pas payer l'impôt, rendons-nous en pays franc, là où les Vikings règnent en seigneurs. Ils ont conquis d'immenses terres fertiles, rejoignons-les au plus vite !

– Foudre d'Odin ! Je n'irai nulle part où quelque Viking pourra me dicter sa loi, j'irai découvrir des terres nouvelles et règnerai en maître. Te rappelles-tu de Gunnbjörn, fils d'Ulfr la Corneille ? On raconte qu'il y a plus de quatre-vingts hivers, il dériva vers l'ouest et aperçut une île à cinq jours de navigation d'ici. J'irai trouver ce pays, et le Parlement regrettera d'avoir laissé partir le grand Eiríkr !

Eiríkr a quitté l'Islande. Les dieux Thor et Odin sont avec lui depuis le premier jour de son départ, gonflant les voiles de son embarcation. La mer est calme, les hommes **écopent** sans trop de peine à bord des

Écoper : vider l'eau d'un bateau.

knerri. Thorbrand, qui seconde Eiríkr, ne quitte pas la proue du bateau de tête. Soudain, il rejoint son chef et l'interroge :

– Eiríkr, nous naviguons vers le **soleil couchant** depuis trois nuits et quatre jours, ne crois-tu pas qu'il est grand temps de lâcher un corbeau ?

Soleil couchant : à l'ouest.

« Thorbrand a raison, songe Eiríkr, nous ne voyons toujours aucune terre, le corbeau pourra nous guider. »

Empoignant la cage où les oiseaux croassent, Eiríkr lâche un corbeau. Tous les regards sont pointés vers le ciel. L'oiseau tournoie autour du mât, puis monte un peu, décrit de larges cercles, et redescend en planant. La clameur se mêle aux murmures de déception. Si le corbeau avait vu une terre, il aurait piqué droit dessus, et Eiríkr aurait donné la direction à suivre ! Mais l'oiseau revient au knörr, reprend sa place sur la vergue. Il irait même jusqu'à regagner sa cage ! Thorbrand garde le cap à l'ouest. Il aurait mieux fait de se taire, et de laisser Eiríkr choisir le moment opportun pour lâcher un corbeau.

Le vent tombe au cinquième jour, et le ciel est couvert. À bord les hommes découpent le pain et le poisson séché, versent les tonneaux de bière dans des seaux qu'ils vident joyeusement.

Le matin suivant, Eiríkr lâche à nouveau un corbeau. L'oiseau tournoie, s'éloigne, semble revenir, puis reprend son vol et s'attarde en planant avant de descendre. Il a aperçu une terre, au-delà de l'horizon, et se dirige dans sa direction. Occupé à admirer le vol de l'oiseau, Eiríkr en oublie de donner l'ordre de gouverner au nord, mais Thorbrand, attentif, a déjà changé de cap. La terre glacée n'est pas loin, elle reflète le soleil levant sur la mer, plongeant les côtes dans un **halo** éblouissant. De solides blocs de glace dérivent dangereusement, empêchant d'aborder le rivage. De forts courants obligent les hommes à **souquer** fermement.

Halo : cercle lumineux.
Souquer : ramer.

– Impossible de débarquer à cet endroit ! Nous allons continuer vers le sud. Nous accosterons dès que nous pourrons filer entre les glaces.

Entre des îles rocheuses, la côte se dessine de plus en plus nettement. Des paquets de vagues semblent ouvrir une voie entre de hautes falaises couvertes de neige, les courants s'apaisent. Au pied des collines glacées, dans le fjord, point de forêt, mais une épaisse herbe couvre la rive. Accoudé au **bordage**, Eiríkr, émerveillé, donne l'ordre d'accoster.

– Tonnerre de Thor ! Que cette terre est belle ! **Carguez** la voile ! Hommes aux avirons ! Partons à la découverte des **Terres Vertes** !

Quelques semaines ont passé depuis l'arrivée d'Eiríkr au Groenland. Le bétail, affaibli lors du voyage, se repaît de l'herbe abondante. Pour chacun, la vie a repris son cours. Sans arbre, il n'y a ni poutre ni planche. Les hommes construisent des murs de pierre, de terre et d'herbes, les habitations sont basses, parfois même enfoncées dans le sol pour se protéger du vent. Chaque famille s'installe dans sa nouvelle demeure. Saumons et harengs remplissent les filets puis les garde-manger, fumés ou séchés.

Voilà plus de trois hivers qu'Eiríkr a quitté l'Islande, et il est temps pour lui de rentrer pour vanter les mérites de sa découverte, et chercher des colons pour venir peupler son grand domaine.

Au printemps à **Haukadalr**, vingt-cinq bateaux chargés de bétail, de bois de construction, d'**orge** et de miel,

Bordage : ensemble des planches formant le revêtement extérieur de la coque.
Carguer : replier la voile.
Terres Vertes : il s'agit du Groenland.
Haukadalr : en 986.
Orge : céréale.

appareillent pour les Terres Vertes. Sept centaines d'Islandais, des familles entières, ont été séduites par le récit d'Eiríkr et quittent leur terre, emportant toute leur fortune.

Clément : doux.
Cale : espace situé sous le pont d'un navire.

Sur le bateau de tête, Eiríkr reprend la mer. D'abord **clément**, le temps se gâte, et la tempête s'abat sur l'équipage. Le choc des vagues qui déferlent sur l'étrave claque comme un coup de tonnerre, l'eau envahit la **cale**. Les hommes roulent les voiles, écopent ou s'activent aux rames. Eiríkr, pointant son poing vengeur vers le ciel, hurle d'abattre le mât. Toute la nuit, les marins aveuglés par les embruns et l'obscurité luttent pour rester face à la vague. Des boucliers de bois du bordage sont arrachés par de puissantes lames, la coque résiste. Enfin les vents tombent, et les bateaux avancent au rythme des rames vers le nord.

Le soleil du printemps illumine les sommets enneigés. Sur la rive du fjord libéré de ses glaces, des guetteurs veillent. Leurs clameurs se font déjà entendre, et les feux qu'ils allument signalent le retour d'Eiríkr le Rouge. Chaque jour un nuage de fumée continue d'annoncer l'arrivée d'un équipage, épuisé par la traversée. Ce sont de longues nuits de fête, l'accueil est triomphal.

Plusieurs nuits ont passé et Eiríkr ne compte que quinze voiles. Tous les navires n'ont pas résisté à la terrible tempête, une dizaine de bateaux a sombré, emportant dans les flots glacés du nord des centaines d'Islandais…

NAVIGATEURS intrépides, les Vikings font reculer les limites du monde connu. Contraints par la faim, condamnés à l'exil, ou poussés par le désir de conquête et l'appât du gain, ils cherchent l'aventure par-delà les mers et découvrent de nouvelles terres.

L'Islande, la « terre de glace »

C'est sans doute grâce aux renseignements fournis par des moines irlandais établis depuis l'an 700 sur l'archipel des Féroé, que les Vikings apprennent l'existence d'une terre couverte de glace, mais accueillante, située encore plus au nord : l'Islande.

1. Ferme d'Éric le Rouge, Groenland 2. Îles Féroé 3. Fjord dans la région de Sogn og Fjordane, Norvège

Les Indiens

Les Vikings ont des relations difficiles avec les Inuits et surtout avec les Indiens qu'ils appellent *Skaelingar*, les « tordus ».

Figurine inuit représentant un personnage en costume européen

Maisons de l'Anse aux Meadows
Elles sont construites en boue séchée et en tourbe car il n'y a pas de forêt.

La saga des Groenlandais
Elle raconte la découverte par Leifr, fils d'Erik le Rouge, de pays merveilleux nommés *Helluland*, « pays des pierres plates », *Markland*, « pays des forêts », et *Vinland*, « pays de la vigne ».

4. Terre-Neuve : le Vinland viking ? 5. Reconstitution de maisons dans l'Anse aux Meadows

“ Eiríkr, émerveillé, donne l'ordre d'accoster : « Tonnerre de Thor ! Que cette terre est belle ! » ”

L'Amérique
Si les Vikings ont pu fouler le sol américain, aucune preuve archéologique certaine ne permet de l'affirmer. Pourtant la découverte à Terre-Neuve, dans l'Anse aux Meadows, de vestiges de ce qui a pu être un comptoir semble l'attester.

L'assemblée des hommes libres

Depuis deux jours, la plaine de **Thingvellir** résonne de cris, de jurons et de rires. De toutes les régions d'Islande, des centaines de Vikings convergent vers cet endroit désolé où d'ordinaire le renard polaire et le **gerfaut** règnent en maître. C'est que demain y commencent les séances de l'*Althing*, l'assemblée annuelle où chaque homme libre peut réclamer justice et faire valoir ses droits.

Comme toujours, Gunnar et son clan sont arrivés parmi les premiers. Ils ont dressé leur camp tout près de la rivière, à l'endroit habituel réservé aux familles du sud de l'île. Quelques heures leur ont suffi pour remettre en état les murs de pierre des huttes où ils logent chaque année. Ils les ont ensuite couverts d'une toiture **amovible**, faite d'une simple pièce de laine, semblable à celle des abris qu'ils utilisent quand ils mouillent leur knerri à proximité d'une côte.

Maintenant que l'installation est terminée, que les chevaux et le bétail sont parqués dans les enclos et que les

Thingvellir : à l'est de Reykjavík, capitale actuelle de l'Islande.

Gerfaut : grand faucon des régions arctiques.

Amovible : qu'on peut enlever et remettre à volonté.

serviteurs vaquent aux tâches quotidiennes, Gunnar et quelques compagnons se regroupent autour d'un feu pour boire de la bière et converser.

– Encore une fois, les gens du fjord de l'Est seront les derniers arrivés, remarque Hauk. Tous les autres clans sont là, mais ces sauvages, comme chaque année, feront bande à part. Trop fiers pour se mêler à nous, ils camperont à l'écart et ne daigneront nous rejoindre que pour nous chercher querelle !

– Si j'en juge par le ton de ses paroles, remarque Gunnar dans un sourire, notre ami Hauk n'a pas oublié la façon dont Thorval du fjord de l'Est l'a éliminé du concours de **lutte**. Il est vrai que le combat a été trop bref pour que notre champion ait eu le temps de saisir la ceinture de son adversaire ! Mais, plutôt que de ressasser ces vieux souvenirs, décrivez-moi ce que vous avez vu aujourd'hui, en parcourant la plaine.

À ces mots, tous les Vikings se tournent vers Skuli. Petit, noir de poil et brun de peau, ce dernier semble être d'une espèce différente des hommes qui l'entourent. Sa sagesse et sa prudence comme son **talent oratoire** en font un personnage respecté du clan. Demain, d'ailleurs, quand s'ouvrira la **session** de l'Althing, il siègera en tant que conseiller de Gunnar.

– Je vous promets une belle fête, dit Skuli. La foule est nombreuse et les marchands ont déjà

Lutte : sport de combat opposant deux adversaires dont chacun doit s'efforcer d'immobiliser l'autre au sol.
Talent oratoire : don pour faire de beaux discours.
Session : séance.

commencé à se remplir les poches. Des négociants de **Hedeby** sont venus avec une cargaison d'esclaves slaves, d'armes franques, d'étoffes précieuses et de sel. Des chefs suédois sont également présents pour recruter des guerriers prêts à aller chercher fortune sur les routes de l'Est. Plusieurs mariages devraient aussi être conclus dans les prochains jours. Et tout à l'heure, quand on a sacrifié les deux boucs, leur sang a suivi le chemin qu'il devait prendre. Il a coulé sur le rocher puis sur la terre, pour disparaître dans le sol au pied d'un buisson d'aubépines, comme la coutume et les dieux l'exigent.

Le lendemain s'ouvre la première séance de l'Althing, la plupart des hommes libres présents dans la plaine y assistent. Elle se déroule à quelques centaines de mètres du campement, au sommet du « rocher de la loi ». Là se tiennent debout les *godar* assistés chacun de leurs deux conseillers. Représentant les douze assemblées locales de l'île, ces hommes, qui sont, pour beaucoup d'entre eux, des chefs de clan comme Gunnar, doivent pendant une quinzaine de jours élaborer les lois et rendre la justice. Ils ne peuvent prendre une décision qu'**à l'unanimité**. Aussi ont-ils élu l'un d'eux comme président afin que s'il survient un **litige**, il rappelle la loi en la récitant.

Hedeby : grande place marchande viking au Danemark.
À l'unanimité : avec l'accord de tous.
Litige : contestation.

Après un court moment consacré à faire connaître à

tous les Islandais les dernières nouvelles des clans de l'île et celles qu'ont rapportées les équipages de retour du continent, les premiers plaignants se présentent devant les juges. Il est vrai que depuis le dernier **solstice d'été**, les occasions de se quereller avec son voisin n'ont pas manqué. Chacun expose ses **griefs** publiquement et à voix haute. L'assistance les entend sans peine grâce aux hautes falaises verticales, qui s'élèvent derrière le rocher de la loi et amplifient toutes les paroles prononcées.

Le puissant et riche Haakon, dont la ferme est nichée au fond du fjord **Eyyjaafjöradur**, est le pre-

Solstice d'été : l'Althing se tenait à l'époque du solstice d'été, jour le plus long de l'année, vers la fin de juin et le début de juillet.
Grief : reproche.
Eyyjaafjöradur : grand et profond fjord sur la côte nord de l'Islande.

mier à s'avancer. Il n'est pas venu seul, mais entouré de tous les hommes de son clan, qui grondent et menacent pour impressionner l'assemblée.

– Je dénonce Sven, le fils de Thorstein de la ferme de la colline Noire ! tonne-t-il. Il a, pendant tout le printemps, fait paître ses moutons et chassé dans la forêt d'Ylva, qui appartient à ma famille depuis le mariage de mon grand-père avec Solveig, du clan du grand Ingolfr. Quand mes hommes ont voulu le faire partir, il en a tué deux et blessé un autre !

Mis en cause par cette **harangue**, Thorstein, dont tout le monde connaît le caractère

Harangue : discours.

emporté, fend la foule et s'approche du rocher de la loi.

– Qui es-tu pour crier ainsi, Haakon ? Un voleur et un menteur !

Et, portant la main à son épée, il poursuit :

– Approche donc, espèce de braillard ! Je vais t'apprendre à vivre.

Au fur et à mesure que la querelle s'envenime, le public se réjouit de l'affrontement qui se prépare. Personne n'imagine que les godar parviennent à concilier les deux points de vue. Seul un **combat singulier** entre les deux parties peut mettre fin au conflit, et ce genre de duel de justice est, de tous les divertissements qui ponctuent l'Althing, le plus apprécié.

Un peu à l'écart, pendant que les querelleurs continuent de **s'invectiver**, Skuli s'entretient avec Gunnar, qui bientôt se place entre les deux adversaires. Se tournant vers les autres godar, il prend la parole :

– Voilà deux opinions bien tranchées et des hommes irréconciliables, mais dont la mémoire est bien courte ! Haakon, as-tu oublié les deux esclaves celtes que tes fils ont volées à Thorstein, il y a deux Althing, pour en faire leurs **concubines**, et les trois guerriers de la colline Noire tués pendant ce rapt ? Et toi, Thorstein, n'avais-tu pas promis déjà, lors de la dernière assemblée, de garder tes troupeaux loin des terres

Combat singulier (ou *holmganga*) **:** combat d'homme à homme.
S'invectiver : s'injurier.
Concubine : compagne.

d'Haakon ? Je propose donc que chacun efface les meurtres de ses souvenirs, et vous serez quittes. En revanche, Thorstein, pour ne pas avoir respecté ta promesse et avoir fait pâturer ton bétail dans la forêt d'Ylva, tu donneras dix moutons et une jument à Haakon.

Si ce jugement satisfait celui-ci, qui, suivi par les hommes de son clan, se retire aussitôt dans son campement, il plonge Thorstein dans une colère noire.

– Jamais je ne paierai cette amende ! crie-t-il à Gunnar.

De son côté, l'assistance prend parti dans la dispute. Deux groupes se forment : l'un approuve la décision, l'autre la critique et la rejette. Il faut l'intervention du président des godar pour empêcher la foule d'en venir aux mains. En récitant la loi, comme les précédents Althing l'ont définie, il parvient à faire admettre à tous les participants l'**équité** du jugement prononcé.

Il en est ainsi pendant quinze jours. À chaque séance, toutes sortes de querelles sont exposées devant le groupe des sages : esclaves enfuis, bétail volé, **dot** non versée, assassinat injustifié... Mais cette année, aucune sentence grave, aucun bannissement n'a été prononcé. Chaque désaccord a été réglé d'une manière **pacifique**.

Tous ont pu alors profiter joyeusement des divertissements. Les combats de chevaux ont été

Équité : justice.
Dot : biens qu'une femme apporte en se mariant.
Pacifique : sans violence.
Rixe : violente bagarre.

particulièrement réussis, comme les **rixes** qui les ont suivis. Et puis, le dernier jour de l'Althing, les femmes de la ferme d'Olav le Noir et celles de la **baie de Faxa** ont offert un magnifique spectacle au cours de la partie de ***knattleikr*** qui les a opposées. Jusqu'à la fin, la victoire a été âprement disputée. Finalement, l'équipe de la baie de Faxa l'a emporté de justesse.

Baie de Faxa : à l'ouest de l'île.
Knattleikr : jeu de balle extrêmement violent ressemblant au cricket ou au baseball, pratiqué aussi bien par les hommes que par les femmes.

Quand est venue l'heure de se séparer, chacun a pris le chemin du retour. Tous étaient heureux et satisfaits, riches de souvenirs à raconter lors des longues journées d'hiver passées auprès du feu. Seul Hauk n'était pas content : l'immonde Thorval du fjord de l'Est l'avait une fois de plus terrassé à la lutte !

EN ISLANDE, en 930, se réunit l'Althing : l'assemblée des hommes libres de l'île. Cette réunion au cours de laquelle on discute des affaires communes, on arbitre les conflits, on édicte et on vote des lois est considérée comme le premier parlement de l'histoire.

L'application de la peine
L'Althing n'a aucun pouvoir exécutif et c'est au plaignant qu'il revient de faire exécuter la sentence décidée par l'assemblée. Une tâche parfois mal aisée quand le condamné est un homme puissant ou fier.

Les condamnations
Elles vont des simples amendes à des châtiments beaucoup plus rudes. Les voleurs sont pendus, lapidés ou noyés et les meurtriers sont dépouillés de leurs biens ou bannis.

Ornement de poitrine en or

« Depuis deux jours, la plaine de Thingvellir résonne de cris, de jurons et de rires. »

L'épreuve du feu
Pour déterminer si un homme dit la vérité, les Vikings ont parfois recours à une terrible épreuve. Le présumé coupable doit porter à main nue une barre de fer chauffée au rouge ou saisir des pierres déposées au fond d'un baquet rempli d'eau bouillante. Puis on soigne les brûlures et on les examine quelques jours plus tard. Si elles ont commencé à cicatriser, l'homme dit vrai ; dans le cas contraire, il ment.

Une fête
L'Althing est aussi une fête populaire. On y arbore ses plus beaux atours et des banquets y sont organisés.

Corne à boisson

Le site de l'Althing
Le site de Thingvellir – à l'est de Reykjavik, la capitale de l'Islande – où se tenait l'Althing, n'a sans doute pas été choisi par hasard. C'est un lieu à la fois somptueux et désolé où s'écrit l'histoire de notre planète. Une sorte de cicatrice minérale dont les lèvres, sous la pression du magma qui remonte à la surface, s'écartent de quelques millimètres chaque année.

Pièces d'échec en ivoire

Jeux de société
Des réunions comme l'Althing permettent non seulement aux Vikings de participer à des tournois sportifs, mais aussi de se livrer à leur deuxième passion, les jeux de société, notamment les dés et un jeu proche du jeu d'échecs dont les pions sont en os, en ambre ou en verre.

Des bavards impénitents
Pour tromper l'ennui ou prolonger un banquet, les Vikings pratiquent l'art de la joute oratoire où chacun cherche à étaler son érudition et à démontrer son sens de l'humour.

De la Baltique à la mer Noire

L'été 860, Riourik quitte **Visby**, sa ville. Son navire est chargé de fourrures, de bois et de fer. Il contourne l'île de Gotland par le nord, reprenant la route de l'est. Le chef viking a déjà effectué cette traversée de la mer Baltique, et en quelques jours, empruntant le golfe de Finlande, il atteint l'embouchure de la **Neva**. De là, ses bateaux remontent le fleuve évitant de dangereux rochers avant d'arriver au lac Ladoga.

Dans une petite ville au bord du lac, Riourik retrouve ses troupes. Pendant son absence, ses soldats étaient chargés d'échanger les fourrures, le miel et la cire rapportés de Gotland contre de l'or et des soieries, du vin ou des esclaves.

À Ladoga, les gens ont beaucoup d'admiration pour Riourik. Le **« Rus »**, comme on l'appelle, protège leur ville des attaques des **cavaliers** venus des steppes. La pugnacité et l'autorité du Viking les surprennent et les fascinent. Tous attendent impatiemment le retour du chef. Le lendemain de son arrivée, une délégation d'habitants de Ladoga demande à

Visby : ville de l'île suédoise de Gotland, carrefour commercial de la région baltique.
Neva : fleuve de Russie.
Rus : au IXe siècle, nom donné par les Slaves à Riourik et aux Vikings venus de Suède pour fonder un royaume (Novgorod et Kiev).
Cavaliers : les cavaliers des steppes sont les Khazars qui dominent la région de la mer Caspienne entre le VIIe et le Xe siècle et soumettent les populations slaves.

être reçue et entendue par Riourik. Ils s'adressent à lui :

– Riourik, nos terres sont vastes et riches, mais elles ne connaissent pas l'ordre. Nous cherchons un prince qui puisse nous gouverner et nous juger selon la loi. Acceptez-vous de régner sur nous et de gouverner notre pays ?

Riourik accepte :

– Tonnerre de Thor ! C'est mon devoir de faire régner l'ordre en votre pays, dit-il sans hésiter. Je vous protégerai de toutes les attaques. Prenons place en seigneur !

Conduisant ses troupes jusqu'au fleuve Volkhov, au-delà du lac Lagoda, Riourik choisit de dresser son camp dans la cité de **Holmgard** pour gouverner la région. Sur la colline, un fortin de bois impénétrable est construit.

Riourik, assoiffé de richesses, fait commerce de ses esclaves avec ses voisins, qui paient cent monnaies d'or et une peau d'écureuil – à moins que ce ne soit une peau de **zibeline**, d'**hermine** ou de renard noir – pour un couple d'esclaves. Il s'apprête à partir négocier avec le chef de riches **khazars**, lorsque l'un des guetteurs postés sur la crête annonce :

– Chef, sur le grand fleuve avancent nos knerri ! Ce sont Oleg et Eymund, les lieutenants de Gotland, partis de Ladoga vers des terres

Holmgard : deviendra Novgorod, actuellement en Russie.
Zibeline : martre de Sibérie dont la fourrure est très chère.
Hermine : proche de la belette, l'hermine a un pelage blanc l'hiver.
Khazars : population turque qui règne sur les steppes entre le Don et le Dniepr au Xe siècle.

lointaines avant l'hiver à la conquête de nouveaux butins.

Les marins **exténués** pénètrent dans la ville fortifiée. Oleg se présente le premier :

– Cher Riourik, nous voilà de retour de **Miklegard** ! Nous avons navigué des nuits et des jours et combattu sans cesse, abattu des chevaliers, détruit ponts et murailles. Nous avons brisé les chaînes tendues en travers du port pour condamner notre passage. Écoute-nous te dire la splendeur de leur grande ville aux toits d'or et de pierres précieuses ! Leurs mille palais regorgent d'esclaves, d'épices, de soies et de parfums. Repartons plus forts ensemble, en route pour

Exténué : épuisé.
Miklegard : littéralement « grande ville », désigne ici Constantinople.

Miklegard ! Donne-nous assez de bateaux, d'hommes et de haches pour atteindre leur belle cité et remplir nos poches et nos coffres d'or et de soie ! Que ta grandeur et ta force nous ouvrent Miklegard !

– Nous repartirons ensemble Oleg. Que la lumière de cet or m'éblouisse à jamais, mettons-nous en route à l'été !

La belle saison est revenue et voici quatre nuits que l'expédition menée par Riourik et Oleg a quitté Holmgard. Les hommes du Nord supportent mieux la neige, le vent et les pluies que l'étouffante chaleur qui s'abat sur eux depuis leur départ.

– Tombez les voiles, tous aux avirons ! ordonne Riourik.

Le vent est tombé, et les rameurs s'épuisent. Bientôt, le fleuve se resserre et les navires ne passent plus. Il faut relever le gouvernail.

– Oleg, envoie six de tes hommes couper des arbres dans la forêt, nous allons hisser les bateaux sur des troncs rangés côte à côte. Nous les ferons rouler sur la terre, en ôtant au fur et à mesure les rondins de l'arrière pour les placer à l'avant. Nous tirerons ainsi nos embarcations jusqu'au fleuve Dniepr puis le remonterons jusqu'à son embouchure.

Sautant à terre, certains soulèvent les bateaux, d'autres chargent des marchandises sur leurs épaules. Sous le soleil, les longues marches en cadence sont harassantes. Au prix de prodigieux efforts, les navires rejoignent le fleuve Dniepr et les rameurs reprennent leur rythme.

Le matin suivant, d'immenses rochers se dressent au milieu du fleuve, comme des îles abruptes sur lesquelles les embarcations manquent de se déchirer.

– Quittez les navires !

Oleg explique à Riourik comment il a, par deux fois déjà, surmonté ces obstacles.

– L'eau est plus calme en **aval**, avançons par la terre ! Que les hommes restent sur la **berge** et maintiennent le knörr sur l'eau à l'aide de longs

Aval : près de l'embouchure.
Berge : rive sur le bord d'un fleuve.

et solides troncs d'arbres qui nous serviront de perches ! Avance avec tes hommes, je suis avec les miens !

Le Dniepr est remué de terribles rapides que les Vikings franchissent difficilement. Au terme de cette périlleuse navigation, les hommes du Nord font irruption dans la mer Noire. Toutes voiles dehors, la flotte viking avance en eau calme jusqu'à la grande ville aux toits d'or.

Depuis la rive, derrière de hauts remparts de pierre, les habitants effrayés regardent approcher les proues menaçantes des bateaux vikings. La terreur envahit Miklegard. Les rameurs brandissent leurs épées, comme pour défier la mort.

MARCHANDS ET TRAFIQUANTS SUÉDOIS prennent la route de l'Est et s'enfoncent dans l'immense continent slave à la recherche de fourrures et d'esclaves. Ils atteignent Constantinople qui leur ouvre les richesses des grands marchés de l'Orient.

Les comptoirs
Pour garantir leur sécurité le long des fleuves, les Vikings édifient des cités fortifiées où ils stockent les marchandises avant de les acheminer vers les marchés scandinaves. C'est dans l'une d'elles, à Kiev, qu'Oleg le Sage fonde, en 879, une principauté à l'origine de l'État russe.

La garde varangienne
Impressionné par le courage et la science militaire des Vikings suédois, l'empereur de Constantinople les emploie comme mercenaires. Ils forment une troupe d'élite baptisée la « garde varangienne ».

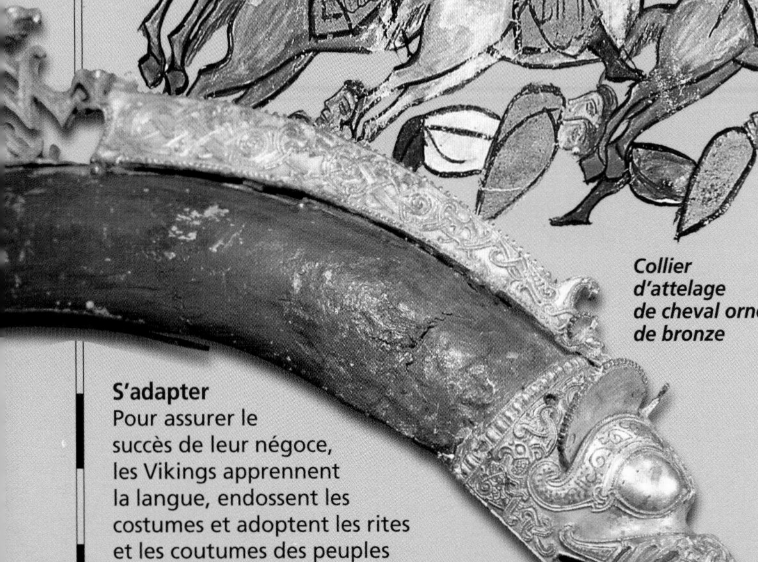

Collier d'attelage de cheval orné de bronze

Garde d'élite
La garde varangienne est de tous les combats que livre l'Empire. Son prestige est tel que jusqu'à sa disparition au XIIIe siècle, de jeunes Scandinaves continueront de s'y enrôler.

S'adapter
Pour assurer le succès de leur négoce, les Vikings apprennent la langue, endossent les costumes et adoptent les rites et les coutumes des peuples qu'ils rencontrent.

L'empereur entouré de ses gardes du corps varègues

Naviguer sur la terre ferme
Pour franchir des rapides ou passer d'un fleuve à l'autre, les Vikings font rouler leurs navires sur des troncs d'arbre ou les portent sur l'épaule.

Vikings en Russie

La cavalerie de Constantinople repousse une attaque des Vikings.

Échec devant Constantinople
Toutes les tentatives des Vikings pour conquérir Constantinople et ses trésors échouent. Leur flotte est détruite par le feu grégeois et la cavalerie grecque décime leurs troupes.

“La terreur envahit Miklegard. Les rameurs brandissent leurs épées, comme pour défier la mort.”

Bouddha en bronze, amené de l'Inde jusqu'à Helgo, en Suède

La ville des marchands

C'est le battement régulier des rames sur l'eau qui réveille Solveig. Repoussant Ketil, son jeune frère qui dort près d'elle, elle sort la tête de dessous la fourrure d'ours sous laquelle elle s'était glissée. Pendant son sommeil, la voile du knörr a été repliée et le mât abaissé. Chacun des hommes d'équipage a saisi une rame et souque ferme. Einar, son père, est à l'arrière et, la barre du gouvernail en main, dirige l'embarcation. Sa mère, Sigrid, et les servantes se tiennent autour de lui. Elles ne cessent de plaisanter, de rire bruyamment et semblent très agitées.

– Que se passe-t-il ? demande Solveig à Olaf qui, tout près d'elle, tire de bon cœur sur son aviron.

– C'est le grand jour, lui répond-il. Ce soir enfin je remplirai ma corne avec de la bière et la lèverai bien haut pour louer nos ancêtres et nos dieux.

– Ketil, debout ! nous arrivons à Hedeby ! hurle alors Solveig aux oreilles de son jeune frère toujours endormi avant de rejoindre le groupe des femmes.

Grimpée sur la poupe, elle distingue très nettement, tout au fond du fjord, le haut mur d'enceinte qui entoure complètement la grande cité. Pour le franchir, il faut passer par une porte flanquée de deux tours où se tiennent des guerriers en armes.

Einar demande qu'on enlève la tête de **dragon** de la proue du bateau et qu'on suspende à la place le bouclier de paix. Grâce à ce signe, le knörr pénètre sans difficulté dans le port qui abrite tellement de navires que Solveig se demande si son père va oser s'aventurer parmi eux. Mais Einar n'hésite pas et, se faufilant adroitement entre les embarcations au mouillage, il se dirige vers la rive.

À la fin de chaque été, il vient ainsi à Hedeby pour vendre les fourrures et les défenses de **morse** que les hommes de son clan et lui-même ont accumulées pendant une année. Pour ce voyage, il a désiré que ses enfants l'accompagnent. Ketil lui succédera bientôt et doit, dès aujourd'hui, commencer son apprentissage de chef. Quant à Solveig, qui vient d'avoir quinze hivers et dont le mariage avec Harald est prévu juste avant les premières neiges, elle doit être pourvue d'un **trousseau** digne de son rang. Le knörr à peine amarré le long du quai en bois qui court sur une bonne partie du rivage, les hommes s'empressent de décharger tous les objets nécessaires à leur séjour dans la ville. Les femmes s'en saisissent et les emportent jusqu'à la colline en pente douce qui domine la grève, à

Dragon : la tête du dragon qui orne la proue du bateau viking est censée adoucir les esprits de la mer. On l'enlève avant de pénétrer dans un port pour ne pas défier les esprits de la terre.

Morse : gros animal marin muni de longues défenses.

Trousseau : habits, parures qu'emporte une jeune fille qui se marie.

l'emplacement où tous les marchands de passage établissent leur campement. Puis elles dressent les tentes, montent les lits et allument un feu sous le grand chaudron.

Restée dans le bateau, assise sur un tas de fourrures, Solveig regarde le spectacle étonnant qui s'offre à ses yeux. Une foule **cosmopolite** et bruyante encombre le quai. Des **Gotlandais**, pense-t-elle en remarquant leur barbe tressée, déchargent une barque tellement encombrée de ballots qu'elle risque de couler à tout moment. Ils disent venir de la mer Noire avec une pleine cargaison de vin, de poivre, de tissus et d'esclaves. Un groupe de marchands **frisons** se querelle avec une femme à propos du prix d'un porc. Indifférents à ces **invectives** comme au trafic incessant des piétons, des chariots et des cavaliers qui vont et viennent, deux vieillards, assis au bord de l'eau, jouent aux dés. Et encore plus étonnant, un homme, qui d'après Olaf ne peut être que **saxon** pour exercer un métier aussi peu estimable, propose à tous les individus qu'il croise de leur tailler les cheveux ou de leur raser la barbe contre un peu d'argent ou un morceau d'**ambre**.

Un bruit de dispute tout près d'elle interrompt sa contemplation et la fait se retourner. Son père désigne Olaf pour rester à bord du **bateau** et

Cosmopolite : qui comprend des gens de tous les pays.
Gotlandais : Viking originaire de l'île suédoise de Gotland, dans la mer Baltique.
Frisons : peuple germanique établi le long des côtes de la mer du Nord à l'emplacement de la Hollande actuelle.
Invective : parole violente.
Saxons : peuple germanique originaire d'Allemagne du Nord.
Ambre : résine fossilisée de conifère, employée pour fabriquer des bijoux.
Bateau : les bateaux ne restent pas à quai, ils mouillent dans le port.

veiller sur les marchandises, tout le temps du séjour, et ce dernier proteste énergiquement.

– Cesse de râler maintenant, Olaf, rugit Einar. Tu sais bien que les bagarres que tu ne manqueras pas de provoquer dès ta première beuverie risquent de nous **coûter** plus cher que les bénéfices que j'espère tirer de la vente de notre cargaison. Aussi, je préfère te voir seul, sobre et dépité sur le knörr, plutôt qu'ivre et chamailleur parmi cette foule !

Le lendemain matin, dès le repas terminé, Einar se met en quête d'un acheteur pour l'ivoire et les fourrures dont son bateau est rempli. Revêtu de ses plus beaux atours et suivi par Ketil qui cherche à calquer sa démarche sur celle de son père, il quitte le campement et se dirige vers une des allées pavées de bois qui pénètrent dans la ville. Un peu en retrait marchent Solveig et Sigrid, qui se tiennent par la main.

Coûter cher : des hommes de loi sont chargés de faire régner l'ordre dans la cité et distribuent de fortes amendes aux fauteurs de troubles.

Jamais les deux adolescents n'ont vu une ville aussi grande. Les toits des maisons se touchent presque au-dessus des rues étroites où circule une foule bigarrée, composée à la fois d'artisans, de marins, de voyageurs et de négociants. Si chacun s'exprime dans sa langue, personne ne semble éprouver de difficultés pour comprendre l'autre et mener à bien ses affaires.

La plupart des maisons, qui servent aussi d'**échoppes**, sont pourvues d'entrepôts, d'ateliers et d'un enclos où s'ébattent cochons, moutons et canards. Devant plusieurs d'entre elles, des cadavres d'animaux sont exposés sur des estrades ou simplement empalés sur des pieux.

Échoppe : petite boutique.

– C'est ainsi, explique Einar à ses enfants, que les habitants de cette cité qui sont fidèles à nos divinités expriment leur foi. Mais de plus en plus de marchands se convertissent au dieu des chrétiens et abandonnent nos coutumes. Certains d'entre eux exigent même que leurs clients se prosternent devant la croix avant de conclure une affaire.

Au détour d'une ruelle, un peu à l'écart de l'agitation du bourg, tout près des remparts, Solveig distingue une grande habitation d'un luxe inouï. Elle est entièrement construite en pierres et dispose d'un puits et d'un lavoir particulier.

– Est-ce la maison d'un roi ? demande-t-elle à sa mère.

– Non, ma fille, c'est celle d'un marchand. Certains **négociants** sont plus riches que nos princes et préfèrent la pierre de Germanie plutôt que le bois de nos forêts pour se protéger du froid.

Négociant : personne qui fait du commerce en gros.

Ils traversent d'abord le quartier des marchands d'esclaves, où ils s'arrêtent quelques instants pour écouter les **boniments** d'un Suédois. Celui-ci vante, avec grand talent, les qualités de ses captifs à un homme au maintien fier et à l'allure farouche. Vêtu d'une longue robe blanche et portant à la ceinture un étonnant poignard recourbé, il s'agit d'un marchand arabe qui, comme chaque année, est venu d'**Espagne** pour se fournir, à bon prix, en esclaves slaves.

Dans le quartier des **pelletiers**, Einar se rend comme à son habitude chez Snorri le Danois. En quelques minutes, les deux compères se mettent d'accord sur un prix pour les fourrures. Une partie est échangée contre du sel, de la bière et des ustensiles ménagers et l'autre est payée en métal d'argent. Aussi Snorri extrait-il d'un grand coffre fermé par une robuste serrure plusieurs dizaines de pièces de monnaie de toutes formes et de différentes provenances qu'Einar pèse soigneusement avec sa balance portative. L'opération semble bien longue à Ketil et à Solveig car, pour parvenir à un compte exact, il faut rogner ou couper en morceaux plusieurs piécettes.

La transaction terminée, c'est la bourse pleine et l'esprit enjoué qu'Einar rejoint le quartier des **joailliers**. Là, il retrouve avec plaisir son vieux complice Hoskuld, qui, après avoir perdu la main droite au cours d'une expédition chez les **Maures**, est devenu négociant en ivoire et en bijoux.

Boniment : discours souvent trompeur pour séduire les acheteurs.
Espagne : depuis le début du VIIIe siècle, les Arabes occupent le Sud de l'Espagne.
Pelletier : négociant en fourrures et en peaux tannées.
Joaillier : négociant en bijoux.
Maure : habitant du Maghreb (Afrique du Nord).

Plusieurs artisans travaillent pour lui : des orfèvres, qui cisèlent les métaux précieux, et des sculpteurs, qui gravent et façonnent l'ivoire ou le bois de cerf.

Sans attendre Einar, Solveig et sa mère traversent la rue. Elles pénètrent dans l'échoppe d'un marchand grec dont l'étal chatoyant les attire irrésistiblement. Draps frisons et étoffes en lin voisinent avec de magnifiques coupons de **soieries** orientales et de brocarts byzantins.

– Voilà de quoi te vêtir le jour de ton **mariage**, comme le mérite ton rang et le réclame l'honneur de notre famille, susurre Sigrid à l'oreille de sa fille, ravie et émerveillée.

Soierie : la soie en provenance de Chine pénètre jusque sur les marchés vikings après avoir transité par Byzance.

Mariage : avant d'être une affaire de cœur, le mariage est une alliance économique et politique entre deux familles.

Cinq jours plus tard, Einar et sa famille quittent Hedeby, fort satisfaits. Le knörr est encore plus encombré de marchandises qu'il ne l'était à l'aller. Grâce à la vente de l'ivoire et des fourrures, ils ont pu acheter toutes les denrées dont la famille aura besoin pendant une année. Ketil s'est comporté comme un vrai fils de chef et Solveig, désormais dotée de tout ce que doit posséder une épouse, parures élégantes et ustensiles domestiques, peut sans honte ni déshonneur se présenter devant Harald. Même Olaf a cessé de se plaindre... contre la promesse d'être le premier à goûter à la bière dont ils rapportent quelques tonneaux !

AU FUR ET À MESURE que se développe le commerce avec le reste de l'Europe, quelques comptoirs connaissent un rayonnement extraordinaire. D'importants marchés saisonniers s'y tiennent qui attirent des négociants venus parfois d'aussi loin que du califat de Bagdad.

Balance

Moyens de paiement
Les Vikings pratiquent le troc ou coupent et rognent les pièces de monnaie ou les lingots juqu'à obtenir le poids exact de métal d'argent convenu.

Commerce et artisanat
Une ville comme Hedeby n'est pas qu'un simple marché, c'est aussi un important centre artisanal. Dans des dizaines d'ateliers minuscules, accolés aux échoppes, on travaille le cuivre, l'or, le bronze et surtout l'os, la corne et le bois de cerf dans lesquels on taille des cuillers, des aiguilles et des peignes.

« La transaction terminée, Einar rejoint le quartier des joailliers. »

Des trésors
À partir du IXe siècle, une quantité incroyable de richesses afflue dans les places marchandes. Ce sont d'abord des **pièces de monnaie** et des bijoux : fruit de vols ou tributs extorqués aux Francs et aux Anglo-Saxons. Et puis, il y a encore les fourrures et les esclaves rapportés de Russie qui sont revendus aux Arabes contre de l'argent.

Gobelet en verre coloré fabriqué en Rhénanie

Boisson enivrante

Le vin est une boisson fort appréciée par les riches Vikings. Cette denrée de luxe méritant toutes les attentions, ils utilisent pour la boire de précieux récipients en verre, des gobelets ou des coupes en forme d'entonnoir, fabriqués en Rhénanie.

Reconstitution d'une maison de Hedeby

Un code de loi

Alors que les étrangers ne bénéficient en terre viking d'aucune protection, les villes-comptoirs, pour permettre le commerce, établissent un code de loi particulier, qui garantit à quiconque aide et compensation en cas de blessure ou de meurtre.

Croix pectorale retrouvée dans une tombe, à Birka en Suède

Qualité exigée

Seuls les marchands jouissant d'une bonne réputation peuvent pénétrer dans les villes-comptoirs : toute tromperie sur la marchandise est sévèrement punie.

Trophée ou relique ?

Il est impossible de savoir si les ornements ecclésiastiques retrouvés dans les villes-comptoirs proviennent de pillages ou sont des preuves de la conversion précoce de certains Vikings au christianisme. Ces lieux furent néanmoins la porte par laquelle la religion chrétienne pénétra en Scandinavie.

Le dernier voyage de la belle Audr

Solvej, la servante, s'est levée avec le soleil. Elle a eu le temps de nettoyer la marmite et les bols, d'enlever les cendres dans le foyer et de préparer à nouveau le feu. Elle va partir à la rivière, rincer les tuniques. En chemin, elle s'arrête prendre des oignons et des œufs, coupe un chou et ramasse du cerfeuil. À son retour, la maîtresse de maison n'est toujours pas réveillée. Inquiète de cette absence et du silence qui règne dans la maison, Solvej entre dans la chambre d'Audr et se penche sur le corps immobile.

– Audr a cessé de respirer ! Je vois sur son visage les marques de la mort ! hurle-t-elle en courant vers la grande pièce.

Réveillé par les cris et les gémissements de la servante, le grand Einar comprend que la terrible maladie qui affaiblit sa douce femme depuis l'hiver dernier a vaincu. La belle Audr ne se réveillera plus. Au chevet de son épouse sans vie, Einar sanglote en silence. Agenouillé dans l'ombre, il reste là un long moment, puis se décide à aller annoncer la triste nouvelle à son fils Runi. Einar commande à Solvej :

– Rends-lui les derniers services, lave son corps délicatement, coupe-lui les ongles et bouche ses narines afin que son esprit reste avec elle, pare-la aussi de ses plus beaux atours.

La famille est en pleurs, mais chacun doit garder courage pour épauler Einar et l'aider à affronter cette dure épreuve. C'est qu'il faut organiser les funérailles au plus vite, et tout le monde attache grand prix à la façon dont Audr va rejoindre le royaume des morts.

Le lendemain matin, Einar quitte la ferme pour parcourir ses terres :

– Runi, accompagne-moi, nous allons choisir l'endroit où reposera ta chère mère, ma belle épouse. Nous devons lui offrir des funérailles dignes de sa splendeur.

Trois nuits ont passé avant leur retour. Épuisés par le chagrin et la marche, Runi et son père s'allongent autour du feu. Einar appelle Solvej :

– Apporte-nous de la bière, du poisson et du pain, et fais venir mes compagnons. Je les veux tous ici au plus vite.

À la tombée de la nuit, douze hommes sont rassemblés devant la ferme. Einar leur dit :

– J'ai choisi pour mon Audr l'un de mes plus beaux champs, là où l'herbe et la mer se rejoignent. Vous creuserez pour elle une chambre gigantesque. Dégagez assez de terre pour que ma femme repose dans le grand navire qui l'emportera jusqu'à **Hel** !

Les hommes s'activent depuis dix jours. Sur des rondins de bois, ils traînent le navire depuis la rive et le tirent dans l'immense fosse. Sur le pont, un lit de bois est apporté. Solvej couvre le matelas de **brocart** et de plumes, et tend de lourds rideaux. Aidée par d'autres servantes, elle a cousu de très jolis vêtements. Elle donne maintenant les derniers soins à Audr avant qu'Einar porte sa femme jusqu'au navire où elle reposera, habillée d'une tunique sertie de boutons en or. Ses poignets et son cou sont ornés des plus beaux bijoux d'or et de perles de verre. Elle est chaussée de bottines de cuir et coiffée d'un bonnet de soie couvert de fourrure. Placée dans sa tombe, elle est prête pour son dernier long voyage.

Hel : royaume des morts.
Brocart : riche tissu de soie avec des dessins en fils d'or et d'argent.
Ferrure : garniture de fer.

Tous les proches d'Audr et Einar défilent autour du navire-tombe, et la chambre funéraire se remplit de somptueux présents. Les servantes déposent du pain, des fruits, des œufs, des oignons et de la bière près de leur maîtresse. Le forgeron a fabriqué un chaudron et réparé les **ferrures** d'un coffre en bois, le tisserand apporte sa plus belle tapisserie. Derrière l'étable, six poules et une belle vache sont tuées et découpées en morceaux. Einar veille à ce que sa compagne ne manque de rien. Autour de lui, on

se prépare à célébrer le banquet funéraire. Einar dit aux servantes :

– Qui d'entre vous mourra avec elle ?

Sans hésiter, Solvej s'avance.

– Moi !

Elle a choisi d'accompagner sa maîtresse dans l'autre monde. Einar fait appeler Katla, la vieille magicienne, qui décidera si la servante peut rejoindre Audr pour son **périple** final. La magicienne est déjà là, accroupie près du corps d'Audr. Ses longues tresses blanches lui donnent un air sévère. Très lentement, Katla se relève, prend

Périple : voyage.

appui sur son bâton de cuivre décoré de pierres, et commence à réciter des prières. Elle **psalmodie** une **litanie** de formules magiques, fait approcher Solvej et s'arrête.

– Hel t'ouvrira son royaume, tu seras sa dernière offrande. Odin m'autorise à te laisser rejoindre ta maîtresse. Tu boiras, tu danseras jusqu'à ta mort prochaine. Dis à ta maîtresse que je t'ai tuée par amour pour elle.

Solvej boit, chante et danse en préparant la chambre gigantesque où elle ira s'étendre, aux côtés de sa maîtresse. Katla reste près d'elle, reprend ses **invocations** et lui donne encore à

Psalmodier : réciter d'une façon monotone.
Litanie : longue énumération.
Invocation : prière.

boire, la fait tourner et danser. La servante dévouée se laisse enivrer, elle tombe bientôt d'épuisement. Solvej est morte pour accompagner Audr dans son dernier voyage. Le corps de la servante est déposé près de celui d'Audr, au milieu des somptueux trésors.

Le jour des funérailles, les **carnyx** de bronze clament la douleur des vivants. Einar et Runi, **prostrés**, reçoivent encore des présents et les placent dans la tombe. Leur malheur est immense, ils s'attardent une dernière fois autour du navire avant son départ vers l'autre monde.

Carnyx : trompette terminée en gueule d'animal.
Prostré : abattu, effondré.

L'heure est venue d'enterrer Audr. Les compagnons d'Einar apportent de longues poutres de bois et construisent un toit pour couvrir la tombe. Ils attendront que la nuit soit passée, et reviendront couvrir le toit de bois de terre et de pierre. Einar regarde disparaître sa compagne à tout jamais. Sur les terres d'Einar, à l'endroit où l'herbe rejoint la mer, une petite colline de terre se dresse à l'emplacement du navire-tombe qui emporta Audr vers Hel. Quand Einar s'y rend, le souvenir de sa chère compagne réjouit son cœur.

LA RELIGION VIKING n'a ni temple ni prêtre. C'est, selon les cas, le roi ou le chef de famille qui, en plein air à l'époque du solstice d'hiver ou du solstice d'été, conduit le rite ou accomplit le sacrifice grâce auquel les dieux se montreront favorables aux hommes.

Walkyrie offrant un verre d'hydromel, breuvage d'éternité

Loki, le mauvais génie
Loki, qui créa les hommes avec Odin, préside aux forces obscures. Il est la divinité qui provoquera la fin du monde et l'écroulement de l'Univers en permettant la victoire des géants et des monstres.

Génie grimaçant

Chariot retrouvé dans le bateau-tombe d'Oseberg en Norvège

« Ils s'attardent une dernière fois autour du navire avant son départ vers l'autre monde. »

Les trois principaux dieux vikings
Odin est la divinité suprême à qui rien n'échappe. Thor, son fils, est le dieu du tonnerre. Armé de son marteau, il passe son temps à combattre les forces du chaos qui menacent l'équilibre et l'harmonie du monde. **Freyr** est le dieu de la fertilité, du renouveau de la nature et des récoltes abondantes.

Après une mort héroïque, le guerrier rejoint le Walhalla, monté sur Sleipnir, le cheval à huit jambes d'Odin.

Tombe en forme de coque de bateau dans la nécropole danoise de Lindholm Hoje

Freyr, le dieu de la fertilité

La vie dans l'au-delà

Les Vikings croient en une vie après la mort. Les défunts sont parfois incinérés, mais plus souvent inhumés avec quelques objets familiers, dans des tombes entourées de pierres plantées évoquant la forme d'un navire. Les personnages importants sont ensevelis dans un bateau dans lequel on a entassé un mobilier précieux. Leurs chiens, leurs chevaux, leurs serviteurs et leurs concubines, rituellement sacrifiés, peuvent les accompagner afin de continuer de les servir après leur trépas. Les Vikings morts au combat rejoignent le Walhalla, un paradis où, accueillis par les **Walkyries**, des amazones mythiques, ils passent le temps à festoyer et à guerroyer.

Le siège de Paris

En cette froide journée du mois de février 886, Sigfred se sent las et découragé comme jamais il ne l'a été. Il a quitté, sans un mot, l'assemblée bruyante des autres chefs danois pour rejoindre le camp de son vieil oncle Asgeir, dans le village de **Saint-Germain-des Prés**. Pendant qu'il traverse le fleuve à bord d'une ***ferja***, il ne peut détourner son regard de la petite cité de Paris qui, depuis trois mois, résiste aux furieux assauts de ses soldats.

Construite sur une île, la ville ressemble à un knörr immobile. Ceinturée de son ancienne muraille **gallo-romaine**, que ses habitants ont encore renforcée par un fossé et des remparts en bois, elle occupe le centre du fleuve. Ses seuls liens avec la terre sont deux ponts fortifiés, défendus par des tours. Celui de la rive nord est en pierre, celui de la rive sud en bois.

Saint-Germain-des-Prés : actuellement un quartier de Paris. À cette époque, c'était un village.
Ferja : petite barque viking.
Gallo-romain : datant de l'époque où la Gaule était occupée par les Romains (du Ier au Ve siècle).

Depuis le 24 novembre de l'année passée, la flotte de Sigfred est bloquée par Paris, ce verrou incontournable qui empêche ses hommes de naviguer sur la Seine et les prive des richesses de la Bourgogne, un peu plus loin au sud. La première intention du chef danois n'était pas de piller cette cité de marchands et de bateliers. Il a d'abord tenté de négocier son passage. Mais, Gauzlin, l'évêque de Saint-Germain, et le comte **Eudes** ont repoussé toutes ses propositions.

Devant ce refus, Sigfred a décidé de passer à l'attaque dès le lendemain matin. Le combat a duré toute la journée, mais chaque vague d'assaut viking s'est brisée au pied des remparts. Malgré leur ardeur et leur soif de vaincre, ses hommes ne sont pas parvenus à enfoncer les fortifications. La **milice** parisienne, soutenue par les cris des femmes et des enfants et sans cesse encouragée par Gauzlin et les autres **clercs**, a fait pleuvoir mille **traits** sur les assaillants. Quand les flèches sont venues à manquer, des pierres les ont remplacées. Et puis, le comte Eudes est intervenu avec quelques-uns de ses hommes d'armes au moment où le courageux Olav et quelques compagnons ont commencé à marteler à coups de hache la porte de la tour du pont nord. Sigfred a vu le chef franc lui-même verser de l'huile bouillante et de la **poix** par les trous de la muraille. Les Vikings atteints par cet effroyable liquide brûlant ont succombé immédiatement ou, transformés en torches vivantes,

Eudes : comte de Paris qui sera nommé roi de France en récompense de sa résistance contre les Vikings en 888.
Milice : troupe armée formée par les habitants de la ville.
Clerc : personne qui appartient au clergé.
Traits : ici, flèches.
Poix : matière inflammable à base de résine de bois.

se sont précipités dans le fleuve pour échapper à la fournaise. Quand enfin la nuit est tombée, aucune des portes de la cité n'avait pu être forcée.

Le jour suivant a encore été terrible. Les mêmes scènes se sont répétées, et quand les Parisiens ont lancé, du sommet de la tour, une énorme roue de chariot qui a écrasé six Vikings, Sigfred a compris qu'il ne pourrait jamais emporter Paris de haute lutte et qu'il devait l'assiéger.

Le gros de la troupe des Danois s'est alors établi sur la rive nord du fleuve, laissant à Asgeir et à ses hommes le soin d'empêcher les Francs d'utiliser le pont de bois, au sud, pour chercher du secours ou du ravitaillement. Pendant qu'une partie des assaillants courait la campagne alentour à la recherche des denrées nécessaires à leur subsistance, les autres érigeaient des camps retranchés ou bien construisaient, avec plus ou moins de talent, des **mangonneaux** et des **trébuchets** semblables à ceux que les Francs utilisaient pour repousser leurs assauts.

Quand il a attaqué de nouveau, à la fin de janvier, Sigfred a cru pendant un moment que la victoire était à sa portée. Il avait concentré toutes ses forces sur le pont nord. Après avoir entassé des fagots et de la paille dans les **douves**, les Vikings sont parvenus à escalader les fortifications et à faire irruption dans le camp des Francs. Alors que les Parisiens étaient sur le point de céder, l'évêque Gauzlin

Mangonneau, trébuchet : machines de jet utilisées pour projeter des blocs de pierre.
Douve : fossé creusé autour des fortifications.

s'est présenté sur les remparts, à la tête d'une procession, portant les **reliques** de **saint Germain** et de **sainte Geneviève**. À cette vue, et stimulés par les **cantiques** chantés par la foule, les assiégés ont retrouvé suffisamment d'ardeur et de courage pour repousser les assaillants hors des remparts.

Rendu furieux par ce nouvel échec, Sigfred a fait alors incendier trois de ses navires, qu'il a lancés contre le pont de bois. Mais la manœuvre a encore échoué. Les bateaux ont brûlé, puis coulé sans causer le moindre dégât au pont.

C'est à cause de tous ces événements, qu'aujour-

Relique : corps entier d'un saint (ou une de ses parties) au pouvoir miraculeux.
Saint Germain (496-576) **:** évêque de Paris, fondateur de l'église de Saint-Germain-des-Prés.
Sainte Geneviève (422-502) **:** elle protégea Paris lors de l'arrivée des Huns commandés par Attila.
Cantique : chant religieux.

d'hui, après trois mois de vaines luttes, il a désiré s'entretenir avec le vieil Asgeir. Celui-ci le **hèle** de la rive pour lui indiquer un endroit propice où accoster. L'embarcation de Sigfred n'a pas encore atteint la berge qu'Asgeir déjà s'adresse à lui :

Héler : appeler.

– Que t'arrive-t-il, Sigfred, pour préférer la compagnie d'un vieillard tel que moi aux joyeuses réunions avec les autres chefs ?

– Gais et agréables, nos banquets le sont de moins en moins, lui répond Sigfred en sautant à terre. Nous, Vikings, manquons de patience. Nous ne savons pas attendre l'occasion favorable pour emporter une place forte comme celle-ci. L'inactivité, les difficultés de plus en plus grandes pour se ravitailler et surtout les échecs de nos attaques successives indisposent beaucoup les chefs et la troupe. Mais pourquoi souris-tu, Asgeir ? Les nombreuses années passées à guerroyer commenceraient-elles à obscurcir ton jugement ?

– Certes, et Thor peut en témoigner, voilà bien longtemps que je manie l'épée dans l'espoir de faire fortune. Aussi, comme toi hier, quand j'ai vu les knerri se consumer sans que les flammes ne noircissent même les **piles** du pont, j'étais désespéré. J'ai maudi Odin pour nous laisser ainsi désemparés face à quelques prêtres et citadins exaltés. Ma détresse a dû l'émouvoir car, ce matin, il réserve aux Francs un tour à sa façon. Regarde comme les eaux du fleuve sont en train de gonfler. Le puissant courant commence à ébranler le pont. Le bois craque et gémit comme les articulations d'un vieillard. Sigfred, rassemble les hommes ! Nos dieux se réveillent et nous offrent la victoire.

En effet, un moment plus tard, sous la pression de la **crue**, une partie du **tablier** du pont est emportée. Les eaux furieuses s'engouffrent dans la brèche et poursuivent leur travail de destruction. Bientôt, seule subsiste de l'édifice la tour qui en défendait l'entrée, désormais isolée de la ville. Ses douze défenseurs, malgré une résistance farouche, ne peuvent s'opposer longtemps aux Vikings qui les attaquent de tous

Pile : pilier soutenant un pont.
Crue : montée des eaux.
Tablier : plancher d'un pont.

côtés. Quand le dernier d'entre eux succombe, Asgeir, dans un éclat de rire, crie à Sigfred :

– Regarde comment Odin se joue des serrures franques et nous ouvre la route de la Bourgogne !

De nouveau libre de sillonner la Seine en tous sens, le gros de l'armée danoise embarque sur les navires. Un seul détachement viking demeure sur place et maintient le siège devant la cité. Dès lors, il devient plus facile pour les Parisiens, décimés par la famine et les épidémies, de tenter des sorties pour chercher de l'aide.

Pourtant, après la mort de l'évêque Gauzlin, emporté par une maladie au mois d'avril, la situation des assiégés devient désespérée. Le comte Eudes et quelques compagnons franchissent clandestinement les lignes danoises pour aller chercher du secours auprès des nobles francs. Au même moment, Sigfred, qui revient de la région du Mans qu'il a ravagée pendant plusieurs mois, accepte l'offre des Parisiens qui lui proposent d'acheter son départ contre quelques pièces d'argent. Il **pressent** que la situation est en train de changer.

– Les Francs ont pris le goût de la résistance, bientôt ils seront avides de victoires, explique-t-il aux autres chefs danois.

Cet argument ne convainc personne et tous décident de poursuivre le siège.

Entre-temps, le comte Eudes a regagné l'île de la

Pressentir : deviner.

Cité avec des troupes fraîches et a convaincu l'empereur **Charles le Gros**, de retour d'une campagne en Italie, de marcher sur Paris. Au mois de septembre, l'armée **carolingienne** est au pied de la colline de **Montmartre**. Sa cavalerie repousse les Danois sur la rive sud. Retranchés dans leur camps, les Vikings sont passés du statut d'assiégeants à celui d'assiégés.

Alors que l'empereur n'a plus qu'à porter le coup de grâce, il préfère, pour une raison inconnue et à la grande surprise de tous, verser un **tribut** aux Vikings et leur accorde le droit de piller la Bourgogne pendant l'hiver avant de quitter définitivement le sol franc. Trop heureux de se tirer du mauvais pas dans lequel ils se trouvent, les Danois acceptent la proposition.

Quand, au mois de mars suivant, à leur retour d'expédition, les Vikings se présentent de nouveau devant Paris, le comte Eudes leur fait toujours face. Il a fait construire un nouveau pont qui coupe la route des knerri. Mais, comme l'a prédit Sigfred, la peur a changé de camp. Plutôt que de bousculer l'obstacle, les Vikings le contournent. Ils **halent** leurs navires sur la berge et les remettent à l'eau loin de la fière cité, puis poursuivent leur chemin.

Charles le Gros (839-888) **:** empereur d'Occident, roi de France et de Germanie.
Carolingiens : famille franque qui règne sur la Gaule du milieu du VIIIe siècle à la fin du IXe siècle.
Montmartre : actuellement un quartier de Paris. À cette époque, c'était un village.
Tribut : somme d'argent payée par les vaincus.
Haler : tirer au moyen d'un cordage.

Les redoutables guerriers vikings ne doivent pas leurs victoires à leurs armes et à leur équipement, très proches de ceux de leurs adversaires, mais plutôt à leur sens aigu de l'organisation sur le champ de bataille.

Camp militaire viking datant de la fin du Xe siècle mis au jour à Fyrkat, au Danemark

Forteresse circulaire
Au Danemark, les armées vivent dans des camps fortifiés. La garnison de ces casernes, dont on ne sait si elles servent de centre d'entraînement ou de base de départ, peut compter jusqu'à 5 500 hommes. Ils vivent dans de grandes maisons collectives rigoureusement disposées à l'intérieur de l'enceinte circulaire.

À l'assaut des royaumes francs et anglo-saxons
Dès le milieu du IXe siècle, ce sont de véritables armées vikings, placées sous l'autorité de chefs compétents et respectés, qui, depuis le Danemark, partent à la conquête de l'Empire carolingien. Pendant deux siècles, l'Occident sera soumis à leur loi. Une grande partie du territoire anglais devient une terre danoise, et, sur le continent, aucun roi ni seigneur ne parvient à contenir leur furie.

Des fantassins
Les Vikings emportent rarement des chevaux pendant leurs expéditions guerrières. Ils se procurent des montures sur place, les utilisent pour leurs déplacements, mais combattent généralement à pied.

Les cavaliers
L'harnachement du cavalier et du cheval est fait d'emprunts aux peuples de l'Est : l'étrier est germain, les brides et le mors sont magyars, un peuple de Hongrie.

Danois attaquant une ville anglaise

Des coiffures sobres
Les Vikings ne portent pas de casques ornés de cornes ou d'ailes comme on les représente souvent. Ils se coiffent la tête d'un casque conique en fer ou bien en cuir renforcé de plaques de métal. Dépourvu de tout ornement, il comporte seulement un protège-nez et des protège-joues.

L'équipement
L'armement de base comprend l'arc en bois d'if qui sert à engager le combat, un bouclier, un javelot et une lance, une **épée** à double tranchant et une **hache** dont la taille et la forme du fer varient selon son emploi : elle peut être lancée ou maniée à deux mains pour abattre les cavaliers ennemis et leur monture.

Hache et épées vikings

« Chaque vague d'assaut viking s'est brisée au pied des remparts... »

Des épées franques
Malgré leur maîtrise du fer, les Vikings ne peuvent rivaliser avec les forgerons francs qui produisent des lames d'épée ou des pointes de lance dont le tranchant solide et résistant ne s'émousse pas. Aussi préfèrent-ils les importer et se contentent-ils souvent d'en décorer la poignée.

Hrólfr en Normandie

Le grand **Hrólfr** crie sa colère : au nom du roi Harald, l'assemblée des jarls de Norvège a proclamé son bannissement. Hrólfr est condamné pour avoir pratiqué le pillage sans son autorisation.

Dès le lendemain, Hrólfr fait hisser les voiles et annonce son départ, sans espoir de retour. Sa flotte est puissante et il part en conquérant. Il traverse la mer d'Irlande et met le cap sur la **Neustrie**. Longeant la côte, les navires s'engagent dans l'**estuaire** de la Seine.

Le ciel clair, balayé de nuages gris, semble garder la trace de l'épaisse fumée des villages incendiés. Sur les rives du fleuve, les villageois redoutent le passage de nouveaux pillards vikings. Depuis la mer jusqu'à Paris, on craint de voir pointer à chaque **méandre** du fleuve la terrible tête de dragon sculptée à l'avant du bateau des **Northmani**.

Depuis dix ans maintenant, le printemps n'est plus seulement le signe de la reprise du travail aux champs : en Neustrie, la belle saison rappelle

Hrólfr : nom danois de Rollon.
Neustrie : actuelle région de Normandie.
Estuaire : endroit vaste et profond où un fleuve se jette dans la mer.
Méandre : courbe d'un fleuve.
Northmani : les hommes du Nord.

les raids des hommes du Nord armés d'arcs, de boucliers, de haches et de glaives.

« Dieu, libère-nous de la fureur des hommes du Nord ! » prient les moines de Saint-Wandrille. Dans toute la vallée, les églises ont été vidées, les trésors pillés. À Jumièges, l'abbaye est en ruine.

Witton, l'archevêque de Rouen, vient à la rencontre de Hrólfr. Il veut sauver sa ville – abandonnée par le roi **Charles le Simple** – des assauts et du pillage.

– Hrólfr, accorde-nous grâce, je t'implore miséricorde et te prie d'épargner ma belle ville !

Charles le Simple : Charles III, roi de France de 898 à 923.

Hrólfr a entendu Witton. L'invitation le séduit. Sans plus attendre, il envoie ses guerriers en reconnaissance. Les Vikings font descendre leurs montures des navires, les faisant sauter par-dessus bord, du pont sur les quais. Chevauchant avec près de deux cents de ses hommes, Hrólfr fait le tour des remparts. Il admire le site et la majesté du fleuve. Le port peut accueillir les plus grandes flottes. Ses fidèles lui confient :

– Seigneur Hrólfr, regarde ce pays, ses forêts, ses rivières et ses vergers. Vois quelles ressources pour la chasse et quelle abondance de biens ! Allons vite conquérir cette terre à ton profit !

Hrólfr prête une oreille attentive à ces conseils. S'il épargne Rouen du pillage, il règne en maître en Neustrie.

Witton est maintenant rassuré, il a limité l'invasion viking. Mais le roi Charles le Simple n'est pas du même avis. Il s'inquiète pour son royaume déjà fortement meurtri, et voit d'un mauvais œil cette **colonisation**. Dominant la Neustrie, les Northmani sont aux portes de Paris...

Peu avant l'été 911, Hrólfr quitte la Seine pour mener ses troupes sur Chartres. Alors que ses bateaux remontent l'**Eure** à Pont-de-l'Arche, l'évêque du lieu, Jousseaume, est informé du danger que court la ville. En hâte, il prévient les seigneurs Robert, comte de Paris, Richard, duc de Bourgogne et Èbles, comte de Poitiers. L'inquiétude est immense, et la défense des Francs s'organise très vite.

Colonisation : occupation d'un lieu, d'un territoire.
Eure : affluent de la Seine qui passe à Chartres.
Pourfendre : fendre complètement.

Quelques semaines plus tard, Hrólfr donne l'assaut sur Chartres. Les chevaliers danois se portent à la rencontre des Francs et luttent sans merci. Jamais troupes ne combattèrent plus vaillamment. Les longues lames d'acier **pourfendent** les poitrines, le sang ruisselle et les Francs redoublent d'efforts. Les hommes de Hrólfr reforment leurs rangs, tirent des flèches, lancent des torches enflammées. Mais bientôt ils sont criblés de pierres, des litres d'huile bouillante viennent éclabousser leurs corps déjà blessés. Les troupes de Hrólfr sont obligées de reculer et se retranchent à une demie-lieue de la ville, sur une colline. Assiégés, les Vikings ne résistent pas longtemps et se

replient sur la Seine en une nuit. Les hommes du Nord ne sont donc pas invincibles ! Les Francs reprennent confiance, le courage revient à chacun. Ces pillards ont reçu une bonne leçon !

Rentrant sur ses terres, Hrólfr dissimule mal sa douleur. Il a perdu tant d'hommes que la colère et l'**affliction** lui serrent la gorge. Sa vengeance ne se fait pas attendre : nul n'est épargné tant sa fureur gronde. Rien ni personne ne trouve grâce devant lui, tout est livré aux flammes et à la douleur.

Affliction : peine profonde.
Attisé : excité.

Le roi Charles le Simple redoute que la situation empire. Il sait que la rage de son ennemi est **attisée** par sa cuisante défaite. Hrólfr ne se conten-

tera pas de terrifier la Neustrie, et les raids recommenceront. Charles a peur pour le royaume des Francs de l'Ouest. Il veut protéger ses seigneurs locaux, les comtes et les marquis. Il faut aussi défendre Paris. Que faire pour limiter l'invasion ?

Les seigneurs, épuisés, le supplient de mettre fin aux malheurs qui accablent le pays. Et si l'on tentait de passer un accord avec le puissant chef danois ? Les chefs francs s'adressent au roi :

– Seigneur, lui disent-ils, qu'allons-nous devenir ? Partout règne la terreur, nos terres sont occupées, le royaume est en cendres, tu aurais dû nous protéger, et voilà qu'un Danois te dépouille de ton héritage ! Tu ne t'y opposes guère, aurais-tu renoncé ? Pourquoi n'essaies-tu pas de faire la paix pour calmer cette longue souffrance ? Seigneur, défends et protège ton royaume ! Ce chef viking a fière allure. Pourquoi ne pas faire de lui un allié ? Il est en Neustrie chez lui. Dans toute la vallée de la Seine, Hrólfr règne en maître. Fils d'une grande famille dont il garde toute la **prestance**, c'est un brave. Il sait être bienveillant pour ceux qui lui sont fidèles, il est instruit dans les armes. Tu sais bien que ceux qui s'opposent à sa sagesse sont vite vaincus.

Irrité, le roi Charles réfléchit puis leur répond :

– Mon cœur avec vous souffre et saigne. Cent fois j'ai tenté de réduire cette violence sans y parvenir. J'entends vos conseils et vos plaintes et vous en suis reconnaissant. Je chargerai Francon de traiter avec Hrólfr, allons trouver ce chef et imposons la paix !

Charles le Simple donne l'ordre de convoquer Hrólfr. Le village de Saint-Clair-sur-Epte, à la frontière du territoire occupé par les Northmani, est choisi pour l'entrevue.

Prestance : aspect imposant.
Dense : nombreuse.

En ce jour d'automne 911, l'archevêque de Rouen et le roi Charles, accompagnés du comte Robert, rencontrent le chef viking. Devant l'église de Saint-Clair, la foule est **dense**. Tous veulent entrer dans l'édifice. Se pressent-ils pour admirer le roi Charles, ou pour voir le grand Hrólfr

dans ses habits brodés d'or ? Les deux chefs pénètrent dans l'église, des soldats francs et des Vikings en armes montent la garde. Sur la place, l'excitation est à son comble.

En présence de tous, l'archevêque s'adresse solennellement à Hrólfr :

– Noble chef, **preux** et brave plus que tout autre prince, perdras-tu tous les jours de ta vie à semer la terreur ? Ne connaîtras-tu jamais le repos et la paix ? Je parle au nom du roi Charles. Si tu veux régner en paix sur les terres occupées, deviens fidèle au roi et choisis de devenir chrétien. Ainsi, puissant et reconnu, pourras-tu demeurer dans ce beau pays et t'y maintenir en paix.

Hrólfr, impatient de recevoir des terres sur lesquelles il pourra régner en maître, fait un signe d'acquiescement. Charles s'approche du Viking, serre les mains jointes de Hrólfr dans les siennes et lui confirme la nouvelle :

– Moi, Charles, roi des Francs, **octroie** aux Vikings de la Seine la **concession** d'un territoire, en échange de la paix et de l'aide militaire. Sous l'autorité du roi de France, Hrólfr défendra sa terre, la Neustrie, délimitée par deux rivières, la Bresle et l'Epte, jusqu'à la mer. Son fief couvrira les villes de Rouen, Lisieux et Évreux. En même temps qu'il consent de se soumettre au roi, Hrólfr accepte le baptême pour lui-même et pour ses compagnons.

Preux : vaillant.
Octroyer : accorder.
Concession : don.

Le roi Charles ajoute :

– Pour vous rendre hommage, fidèle **vassal**, voici ma fille Gisèle en mariage.

– Dorénavant je suis votre **féal** et votre homme et jure de conserver fidèlement votre vie, répond Hrólfr à Charles le Simple.

Le roi, le comte Robert, les comtes et les barons, évêques et abbés jurent de donner et garder leur foi à Hrólfr en veillant sincèrement sur sa personne et ses domaines.

Vassal : homme lié à un seigneur ou à un roi.

Féal : fidèle du roi.

Les évêques ajoutent :

– Montrez-vous ici sage et courtois. Celui qui reçoit un tel don, fief, terre ou domaine accepte en prenant possession de ce bien de s'incliner pour baiser le pied du bienfaiteur.

– Jamais, répond Hrólfr, je ne fléchirai le genou devant quelqu'un, ni ne baiserai son pied !

Cependant, hâté par les prières des Francs, Hrólfr ordonne à l'un de ses hommes d'obéir aux évêques. Un Viking s'approche de Charles et lui saisit le pied, le porte à sa bouche pour le baiser, sans se baisser. Un pied en l'air, le roi tombe à la renverse ! Dans l'église, la foule part d'un grand éclat de rire.

Désormais dans l'Epte, un pieu va séparer l'eau normande de l'eau française. Hrólfr a un engagement à tenir. En acceptant de gouverner la Neustrie, il se doit de barrer le passage à d'éventuelles attaques vikings. En signe d'acceptation, les Vikings scellent l'accord en frappant leur bouclier avec leur épée dans un grondement sourd. Dans le village de Saint-Clair, des clameurs et des cris s'élèvent, mille témoins rassemblés pleurent d'attendrissement.

Un grand banquet clôture la cérémonie. Autour des hautes tables couvertes de volailles rôties et de sangliers en sauce, de vins et de bière fraîche, Francs et Vikings font ripaille.

À la fin de l'hiver, Hrólfr est accueilli dans la cathédrale de Rouen par l'archevêque Francon. En acceptant le rite du baptême, le vassal de Charles le Simple devient chrétien et normand. Par l'imposition de ses mains sur le baptisé, l'archevêque confirme :

– Reçois la grâce de l'Esprit saint et promets de croire en Dieu ! Tu feras partager à tous tes sujets ta foi chrétienne. Tu es au service du roi pour régner sur la Neustrie, reçois ton nom grand Hrólfr, tu seras Robert Ier, comte de Rouen, duc de Normandie.

Tout au long de la cérémonie religieuse, Robert Ier garde ses bras repliés sur son cœur. Il se soumet au roi, et devient fièrement normand. Il veillera à ce que nul dommage ne soit commis sur ses terres. Aucun pillard viking n'osera revenir !

De la Seine à la mer, on reconstruit les ponts, les donjons et les maisons. On sème l'orge et l'avoine, et le pays normand prospère. Les hommes du Nord épousent les femmes franques, les petits vassaux du roi seront de fiers Normands ! À Rouen, le marché regorge de marchandises, et Robert Ier fait don de mille richesses à toutes les églises, pillées jadis par ses troupes. En Normandie, plus personne ne redoute le retour de la belle saison.

APRÈS DEUX SIÈCLES ET DEMI de bruit et de fureur, l'aventure viking prend fin. Le temps des raids et des expéditions est révolu. Peu à peu, les « hommes du Nord » se fondent dans la nouvelle société occidentale en train de naître.

La tapisserie de Bayeux
Longue de 70 m, elle raconte la bataille d'Hastings qui opposa **Guillaume** à Harold.

L'archevêque de Rouen baptise Rollon en 912.

Moule pour couler la croix chrétienne ou le marteau de Thor

Le pouvoir des rois
Les rois scandinaves ont été les principaux responsables de la conversion des Vikings à la religion chrétienne. Ils furent les plus ardents partisans de la foi dans le Christ qui accordait à leur pouvoir une essence divine et ne permettait plus que n'importe quel homme libre le conteste.

L'ultime bataille
La dernière tentative d'invasion viking se déroula quelques jours avant la bataille d'Hastings. Le roi de Norvège, Harald l'Impitoyable, débarque en Angleterre à la tête d'une puissante armée. Face à lui : Harold, roi de Wessex et futur adversaire de **Guillaume**, accompagné de ses redoutables guerriers, les *housecarles*. Les Vikings sont défaits, Harald est tué.

Le sens du commerce
Certains Vikings portent la croix sans se faire baptiser. Ils peuvent ainsi commercer aussi bien avec les chrétiens qu'avec les païens.

“Hrólfr accepte le baptême pour lui-même et pour ses compagnons.”

Préparatifs pour la traversée de la Manche

La fin de l'ère viking
En 1060, la création d'États normands en Italie du Sud et en Sicile puis, en 1066, la conquête de l'Angleterre par **Guillaume**, le petit-fils de Rollon, marquent la fin de l'épopée viking en Europe.

Guillaume le Conquérant, duc de Normandie

L'héritage
Même si **Rollon** fut à l'origine d'une dynastie scandinave en Normandie, l'influence des Vikings y fut faible. Peu nombreux et christianisés, ils s'intégrèrent rapidement à la société franque.

L'église de Sogne en Norvège (XIIe siècle)

Des têtes de dragon ornent le faîte des toits.

Des églises en bois
Les premières églises scandinaves datent des Xe et XIe siècles. Construits en bois, le seul matériau de construction alors utilisé, la plupart de ces édifices décorés avec des motifs païens ont aujourd'hui disparu.

La littérature viking

Les dieux chuchotent

La langue parlée par les Vikings est le vieux norrois, une langue germanique proche de l'islandais. Le vieux norrois s'écrit depuis le IIIe siècle avec les seize signes d'un alphabet, le futhark, ainsi appelé d'après le nom de ses six premières lettres.
Les lettres s'appellent les runes, ce qui signifie en vieux norrois « secret » ou « chuchotement ». Elles sont formées de deux ou trois bâtonnets tracés verticalement ou en oblique, faciles à graver dans la pierre ou le bois.
Comme l'usage de cette écriture semblait réservé aux dieux, son origine reste un secret pour les hommes. Les Vikings désignent Odin comme inventeur des runes. Après s'être suspendu neuf jours et neuf nuits à l'arbre sacré Yggdrasil, le dieu Odin aurait découvert les runes.
Cette écriture fut surtout utilisée pour graver le souvenir des exploits des chefs vikings, rendre hommage ou faire l'éloge d'un défunt. Les textes sont gravés sur des stèles de pierre commémoratives ou sur différentes amulettes, poinçons, anneaux et fers de lances. On a retrouvé près de trois mille « pierres runiques » en Suède.
En général les runes sont gravées entre deux lignes formant un ruban terminé d'un côté par une tête et de l'autre par une queue de serpent.

La pierre de Karlevi
Sur cette pierre dressée sont inscrits l'épitaphe d'un chef viking : « Cette pierre est placée en mémoire de Sibbe le Bon, fils de Foldar. Et ses partisans ont placé sur l'île cette pierre funéraire en mémoire de sa mort. » et un poème scaldique qui brosse son portrait et chante ses louanges.

Pierre de Karlevi, an mil, trouvée à Öland en Suède

Les exploits des hommes et des dieux

La littérature islandaise se compose d'œuvres en prose et de poèmes. Les récits en prose sont les sagas (le nom « saga » vient du verbe qui signifie « raconter », « dire »). Elles sont composées en latin, après le XIIe siècle, par des écrivains formés par l'Église pour relater les aventures des chefs vikings et des colonisateurs islandais. Au Danemark, vers 1200, le clerc Saxo Grammaticus s'inspire de la tradition orale pour rédiger les *Gesta danorum*, chronique des rois danois.
La poésie est écrite par les scaldes, des poètes professionnels attachés aux rois.
Le plus grand de tous les scaldes est le chef et poète islandais Egil Skallamgrimsson, qui vécut au Xe siècle. Il affronta le roi norvégien Éric à la Hache Sanglante. Ses poèmes ont été d'abord transmis oralement, puis transcrits au XIIIe siècle par Snorri Sturluson : c'est la célèbre *Saga d'Egill* (« Le rachat de la tête »).
À la poésie scaldique s'ajoute les poèmes eddiques, ou l'*Edda poétique*. Il s'agit d'un recueil de quarante poèmes mythologiques et héroïques anonymes réunis au XIIe siècle dans le *Codex Regius*. Le plus long de ces poèmes, le *Hávamál* (« les Dits du Très-Haut », le Très-Haut désignant Odin) reflète très bien les faits, gestes et croyances des Vikings.

Le scalde islandais, Egil Skallamgrimsson

La découverte des runes par Odin
« Je sais que je suis resté pendu, à l'arbre potence, balayé par les vents neuf longues nuits, percé par une lance, moi-même à moi-même offert, dans cet arbre dont nul ne sait, d'où les racines viennent. Privé de pain, n'ayant pas de corne où boire, j'ai scruté le sol, j'ai étudié les runes, hurlant je les ramassai, puis je retombai à terre. »
Edda poétique

Crédits photographiques

h : haut b : bas
d : droite g : gauche
c : centre

18 g : Casque, époque de Vendel, VIIe s., Statens Historiska Museum, Stockholm. © AKG/ W. Forman ; h : Reliquaire chrétien de Rannveig ; b : Stèle en pierre retraçant les raids vikings, Lindisfarne, Angleterre. © Corbis/ T. Spiegel.

19 h : Monastère de Clonmacnoise, Irlande, VIIe-XIIe s. © Corbis/ R. Cummins ; b : Masque à figure humaine, navire d'Oseberg, IXe s., Viking ship museum, Bygdoy, Norvège. © AKG/ W. Forman.

28 h : Stèle viking. © AKG/ W. Forman ; b : Ustensiles de cuisine, Arby, Uppsala, Statens Historiska Museum, Stockholm. © G. Janson /SHM-Bild ; c : Reconstitution d'une maison viking au Danemark. © Corbis- Sygma/ J. Van Hasselt.

29 d : Plaque en os de baleine utilisée pour le tissage, British Museum, Londres. © British Museum/ Heritage Image ; c : Clé de maison. © Corbis/ T. Spiegel.

40 g : Reconstitution de navires vikings au Danemark. © Corbis-Sygma/ J. Van Hasselt ; b : Navire de Gokstad, Viking ship museum, Bygdoy, Norvège. © Corbis/ R. T. Nowitz ; c : Pierre gravée, île de Gotland, IXe s., Statens Historiska Museum, Stockholm. © Bridgeman-Giraudon.

41 c : Ancre en bois et pierre, Norvège. © AKG/ W. Forman ; hd : Outils, Mästermyr, Gotland, Statens Historiska Museum, Stockholm. © CPS /SHM-Bild ; bd : Détail d'un panneau de bois sculpté, *Regin, le forgeron et Sigurd dans la forge*, XIIe s., Musée de l'université, Oslo. © AKG/ W. Forman.

50 g : Brattahlid, colonie fondée par Éric le Rouge, Xe s., Groenland. © AKG/ W. Forman ; bg : Statuette en bois, art Inuit, Musée canadien des civilisations, Ottawa. © H. Foster / Musée canadien des civilisations, Ottawa ; h : Paysage de Nordradalur, îles Féroé, Danemark. © Cosmos-Visum/ G. Manfred ; c : Paysage de fjord à Sogn, Fjorane, Norvège. © Corbis/ B. Zaunders.

51 h : Fermes vikings à l'Anse aux Meadows, Canada. © Corbis/ G. Probst ; b : Paysage de Terre-Neuve. © Corbis/ N. Wheeler.

62 h : *Bracteact* amulette en or, Statens Historiska Museum, Stockholm. © AKG/ W. Forman ; b : Corne à boire. © The ancient art & architecture collection Ltd ; c : Pièces de jeu d'échecs en ivoire, île de Lewis, Hébrides, Écosse, British Museum, Londres. © AKG.

63 Thingvellir, Islande. © ARCTIC – IMAGES/ Ragnar Th. Sigurdsson.

72 bg : Collier de cheval en forme de dragon, Danemark, Statens Historiska Museum, Stockholm. © AKG/ W. Forman ; c : *La cavalerie byzantine repousse les envahisseurs*, *Sinopsis Historiarum*, Bibliothèque nationale, Madrid. © Mas, Barcelone.

73 hg : *L'empereur byzantin Theophilus entouré de sa garde*, Chroniques de Skylitzes, XIe s., Bibliothèque nationale, Madrid. © AKG/ W. Forman ; hd : *Transport des bateaux,* gravure sur bois, Olaus Magnus, *Voyage en Scandinavie*, 1555. © AKG ; bd : Statue de Bouddha originaire d'Inde, trouvée dans l'île de Helgo, Suède, Statens Historiska Museum, Stockholm. © Dagli Orti.

84 hd : Balance en bronze, Langbro. Statens Historiska Museum, Stockholm. © CPS/ SHM-Bild ; bg : Monnaies d'or avec représentation de héros, X-XIe s., British Museum, Londres. © AKG/ W. Forman ; bc : monnaie viking battue en Angleterre, British Museum, Londres. © AKG/ W. Forman.

85 hg : Gobelet en verre, Björkö, Statens Historiska Museum, Stockholm. © G. Jansson/ SHM-Bild ; c : Croix en or, Birka, Statens Historiska Museum, Stockholm. © SHM-Bild ; hd : Porte en bois gravée représentant un bateau, Hedeby, Allemagne. © Corbis/ T. Spiegel.

94 g : Chariot d'Oseberg, Tonsberg, Vestfold. © University Museum of Cultural Heritage-Université d'Oslo, Norvège ; h : Walkyrie, argent, Köping, Statens Historiska Museum, Stockholm. © SHM-Bild ; b : Pierre gravée, *le cheval d'Odin à huit pattes,* Statens Historiska Museum, Stockholm. © Bridgeman-Giraudon.

95 h : Pierre runique figurant un dieu, Moesgard Museum, Danemark. © Dagli-Orti ; bg : Frey, XIe s., Statens Historiska Museum, Stockholm. © Dagli Orti ; d : Mégalithes, tombes, Jutland, Danemark. © Corbis-Sygma/ B. Grilly/Museart.

106 h : Forteresse du roi Canute, XIe s., Fyrkat, Danemark. © Corbis/ T. Spiegel ; b : Pendentif en argent en forme de cavalier. © AKG/ W. Forman.

107 g : *Les Danois attaquent une ville d'Angleterre,* Pierpont Morgan Library. © Art Resource/ Scala ; d : Armes, bronze et argent, Linga. Statens Historiska Museum, Stockholm. © CPL /SHM-Bild ; b : Épées, Raftötangen, Tanum, Bohuslän, Statens Historiska Museum, Stockholm. © CPL/ SHM-Bild.

120 g : *Le baptême de Rollon,* XVe s., © Bibliothèque municipale, Toulouse ; c : Moules d'orfèvrerie, Musée national, Copenhague. © AKG/ W. Forman ; c : Tenture de la Reine Mathilde, XIe s., Musée de la tapisserie, Bayeux. © AKG.

121 b : Tenture de la Reine Mathilde, Musée de la tapisserie, Bayeux. © AKG/ E. Lessing ; hd : Église en bois de Borgund, Sogn, Norvège. © Magnum/ E. Lessing ; bd : Détail de l'église en bois de Borgund, Sogn, Norvège. © Hoa-Qui/ C. Boisvieux.

122 Pierre runique, © AKG.

123 Egill Skallagrimsson, aquarelle, XVIIe s., Arni Magnusson Institute, Copenhague. © Bridgeman-Giraudon.

Bibliographie

Y. Cohat, *Les Vikings, rois des mers,* Découvertes Gallimard, 1987.

Y. Cohat, L.-R. Nougier, *Les Vikings, princes des mers,* Hachette Jeunesse, 2002.

S. Margeson, *Les Vikings,* Les Yeux de la Découverte, Gallimard, 2003.

B. Solet, *Guillaume le Conquérant,* Éditions des Falaises, 2002.

Sites internet

http://www.histgeo.com/
Présentation générale

http://odin.dep.no/ud/html/brosjyrer/fr/intronor/index.html
À la découverte de la Norvège !

http://www.um.dk/francais/danemark/encyklopedie/kap6/6-2.asp
À la découverte du Danemark !

http://www.ncte.ie/viking/
À la découverte de l'Irlande !

http://viking.no/
Le réseau viking : toutes les sources et tous les liens !

http://viking.hgo.se/
Le site le plus complet et le plus à jour

http://www.jorvik-viking-centre.co.uk/trialsplash2.htm
À la découverte de Jorvik !

http://www.ukm.uio.no/oldsak/
Le site du musée d'Oslo

http://www.norman-world.com/
Un site sur le patrimoine normand

http://www.pbs.org/wgbh/nova/vikings/
Des animations (vidéo) : explorations en pays viking

Sur les traces

Direction éditoriale : Françoise Favez
Direction artistique : Élisabeth Cohat

Sur les traces des Vikings

Graphisme : Laure Massin, Christine Régnier
Édition : Françoise Favez
Iconographie : Nathalie Lasserre
Carte : Fernand Mognetti

Sur les traces des...
D'ÉGYPTE
GALLIMARD JEUNESSE
Sur les traces de...
MOÏSE
GALLIMARD JEUNESSE
Sur les traces de...
ULYSSE
GALLIMARD JEUNESSE
Sur les traces des...
ROME
GALLIMARD JEUNESSE
Sur les traces de...
ALEXANDRE
LE GRAND
GALLIMARD JEUNESSE
C·IVLIVS·CAESAR
JULES
CÉSAR
GALLIMARD JEUNESSE

Sur les traces de...
JÉSUS
GALLIMARD JEUNESSE

Sur les traces de...
ARTHUR
GALLIMARD JEUNESSE

DANS LA MÊME COLLECTION :

Sur les traces...

des dieux d'Égypte - de Moïse - d'Ulysse - des fondateurs de Rome - d'Alexandre le Grand - de Jules César - de Jésus - du roi Arthur - d'Aladdin - de Marco Polo - de Christophe Colomb - de Jeanne d'Arc - de Léonard de Vinci - des Pirates